KB088173

교과서 GO! 사고력 GO!

GO! 매쓰

GO!

Jump

유형 사고력

수학 1-1

차례

GO! 매쓰 Jump

구성과 특징

1 핵심 개념 정리

단원별 핵심 개념을 간결하게 정리하여
한눈에 이해할 수 있습니다.

2 대표 유형 익히기

단원별 사고력 문제의 대표 유형을 뽑
아 수록하였습니다. 단계에 따라 문제를
해결하면 사고력 문제도 스스로 해결할
수 있습니다.

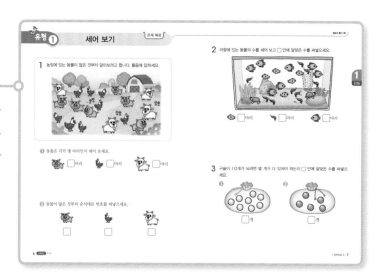

3 사고력 종합평가

한 단원을 학습한 후 종합평가를 통하
여 단원에 해당하는 사고력 문제를 잘
이해하였는지 평가할 수 있습니다.

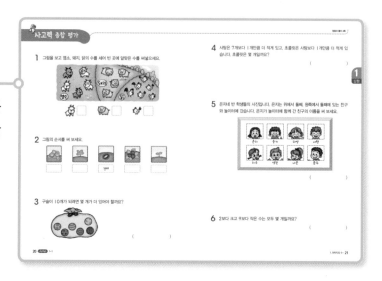

1 9까지의 수

✿ 10까지의 수 쓰고 읽기

●	●●	●●●	●●●	●●●●
1	2	3	4	5
하나, 일	둘, 이	셋, 삼	넷, 사	다섯, 오
●●●	●●●●	●●●●	●●●●●	●●●●
6	7	8	9	⑩
여섯, 육	일곱, 칠	여덟, 팔	아홉, 구	열, 십

9보다 1만큼 더 큰 수입니다. ←

✿ 수의 순서 알아보기

• 1부터 9까지의 수를 순서대로 쓰기

• 1부터 9까지의 수를 순서를 거꾸로 하여 쓰기

9	8	7	6	5
	4	3	2	1

✿ 1만큼 더 큰 수와 1만큼 더 작은 수

1만큼 더 작은 수		1만큼 더 큰 수

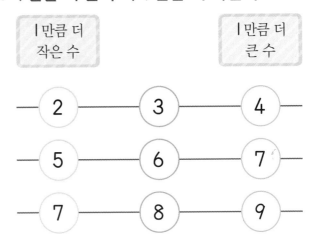

아무것도 없는 것을 0이라 쓰고 영이라고 읽습니다.

✿ 두 수의 크기 비교

① 나비는 벌보다 많습니다.
→ 5는 3보다 큽니다.
② 벌은 나비보다 적습니다.
→ 3은 5보다 작습니다.

세어 보기

1 농장에 있는 동물이 많은 것부터 알아보려고 합니다. 물음에 답하세요.

❶ 동물은 각각 몇 마리인지 세어 보세요.

 ☐마리   ☐마리   ☐마리

❷ 동물이 많은 것부터 순서대로 번호를 써넣으세요.

☐   ☐   ☐

2 어항에 있는 동물의 수를 세어 보고 ☐ 안에 알맞은 수를 써넣으세요.

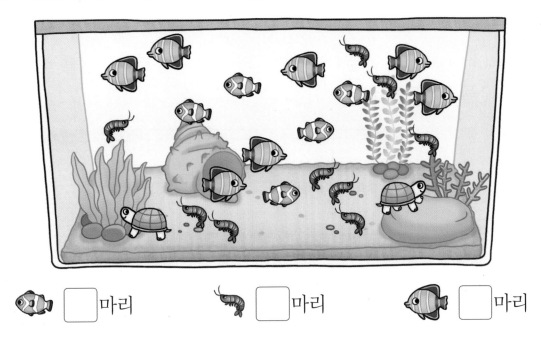

🐠 ☐마리   🦐 ☐마리   🐟 ☐마리

3 구슬이 10개가 되려면 몇 개가 더 있어야 하는지 ☐ 안에 알맞은 수를 써넣으세요.

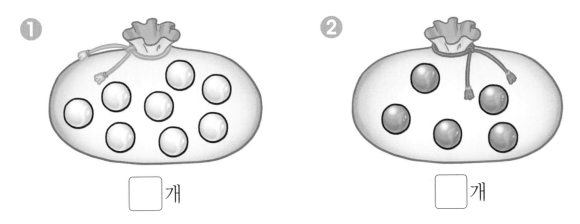

❶ ☐개   ❷ ☐개

유형 ② 순서에 맞게 길 찾기

창의·융합

1 1부터 10까지 수의 순서에 맞게 길을 따라가면 토끼의 집을 찾을 수 있습니다. 물음에 답하세요.

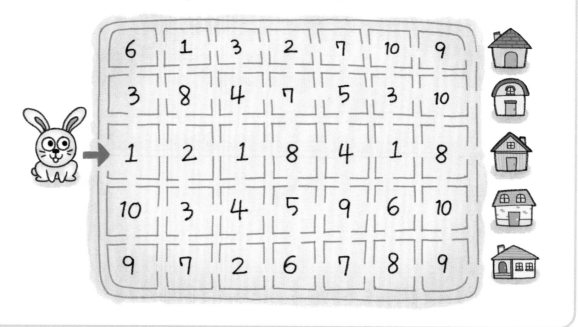

❶ 위의 그림에 1부터 10까지 수의 순서대로 선을 이어 보세요.

❷ 토끼의 집을 찾아 ○표 하세요.

준비물 붙임딱지

2 개구리가 집을 찾아갈 수 있도록 숫자 연잎 붙임딱지를 1부터 10까지 순서대로 모두 붙여 보세요. (단, 붙임딱지는 한 칸에 하나씩만 붙이고, 칸을 건너뛰어 움직이지 않습니다. 또한 가로 또는 세로 방향으로만 갈 수 있습니다.)

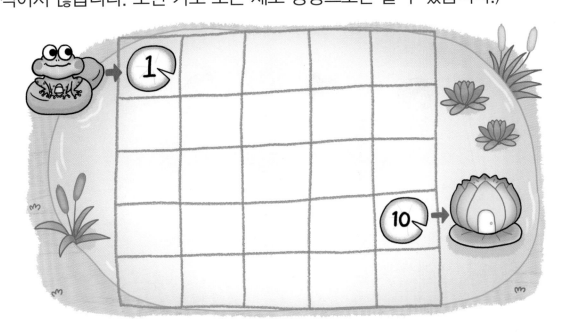

3 벌이 모든 칸을 한 번씩 지나서 꽃이 있는 곳까지 갈 수 있도록 수를 순서대로 연결해 보세요. (단, 한 번 지나간 칸은 다시 지나갈 수 없습니다.)

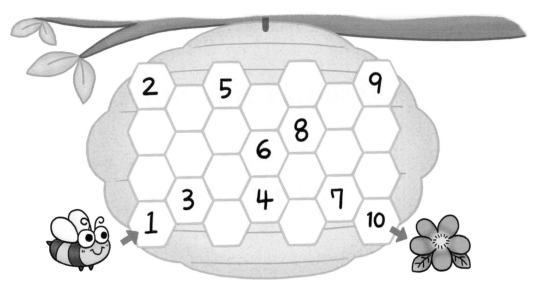

유형 ③ 몇째인지 구하기

1 달리기를 하는 학생이 모두 몇 명인지 알아보려고 합니다. 물음에 답하세요.

❶ 동현이는 앞에서 몇째로 달리고 있을까요?

( )

❷ 동현이는 뒤에서 넷째로 달리고 있습니다. 동현이 뒤에는 몇 명이 달리고 있을까요?

( )

❸ 달리기를 하고 있는 학생은 모두 몇 명일까요?

( )

준비물 붙임딱지

2 동물이 살고 있는 집을 찾아 동물 붙임딱지를 붙이고 선으로 이어 보세요.

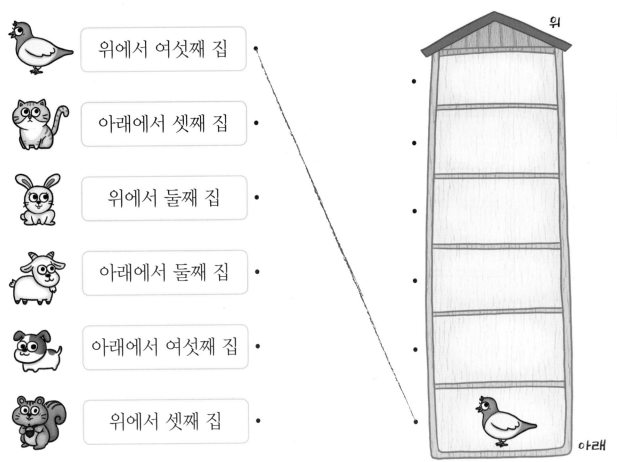

위에서 여섯째 집 •

아래에서 셋째 집 •

위에서 둘째 집 •

아래에서 둘째 집 •

아래에서 여섯째 집 •

위에서 셋째 집 •

3 알림판에 그림 카드를 붙였습니다. 🍌는 어느 곳에 있는지 ☐ 안에 알맞은 말을 써넣으세요.

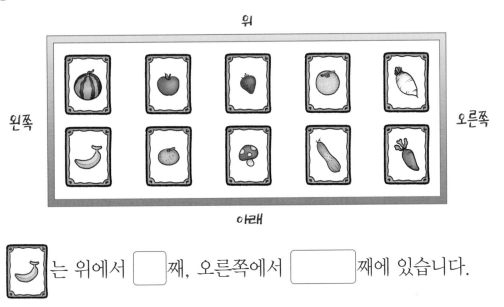

🍌는 위에서 ☐째, 오른쪽에서 ☐째에 있습니다.

유형 ④ 조건에 맞는 수 찾기

창의·융합

준비물 붙임딱지

1 가장 작은 수가 적힌 공을 찾으려고 합니다. 물음에 답하세요.

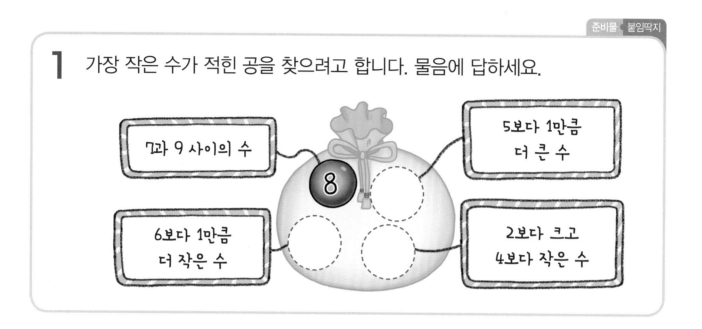

❶ 조건에 맞는 수를 찾아 ○표 하세요.

7과 9 사이의 수	6 , 7 , ⑧ , 9
5보다 1만큼 더 큰 수	6 , 7 , 8 , 9
6보다 1만큼 더 작은 수	1 , 2 , 3 , 4 , 5
2보다 크고 4보다 작은 수	1 , 2 , 3 , 4 , 5

❷ 조건에 맞는 수가 적힌 공을 찾아 위의 그림에 붙임딱지를 붙여 보세요.

❸ 가장 작은 수가 적힌 공의 수는 얼마일까요?

(   )

2 색칠한 칸의 수가 8보다 작은 수만큼 있는 모양을 모두 찾아 기호를 써 보세요.

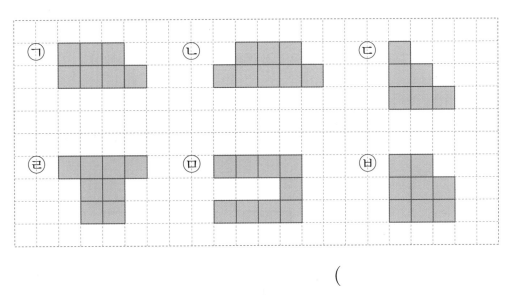

(   )

3 ☐ 안에 들어갈 수 있는 수에 모두 ◯표 하세요.

❶   3은 ☐보다 작습니다.   2   3   4   5

❷   ☐은(는) 5보다 큽니다.   4   5   6   7

❸   ☐은(는) 8보다 작습니다.   6   7   8   9

유형 ⑤ 위치 찾기 정보 처리

1 그림을 보고 주어진 책상의 위치를 알아보려고 합니다. 알맞은 말에 ○표 하세요.

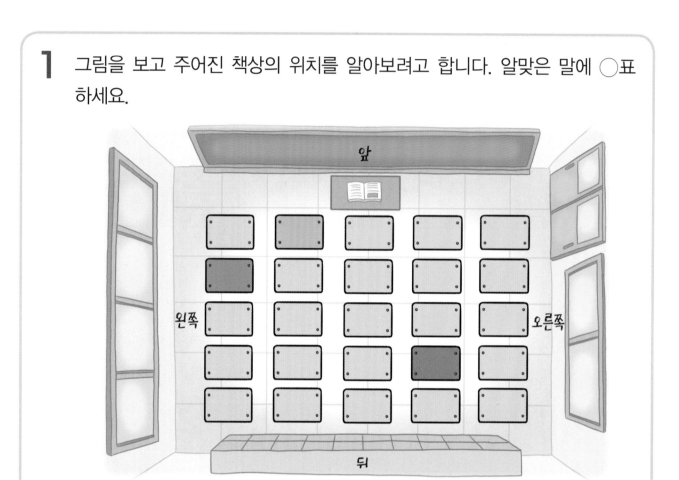

❶ ☐ 책상은 [(왼쪽 , 오른쪽)에서 둘째에 / (앞 , 뒤)에서 다섯째에] 있습니다.

❷ ☐ 책상은 [(왼쪽 , 오른쪽)에서 둘째에 / (앞 , 뒤)에서 넷째에] 있습니다.

❸ ☐ 책상은 [(왼쪽 , 오른쪽)에서 첫째에 / (앞 , 뒤)에서 둘째에] 있습니다.

준비물 붙임딱지

2 택배 보관함에 물건이 도착했습니다. 위치에 맞게 물건 붙임딱지를 붙여 보세요.

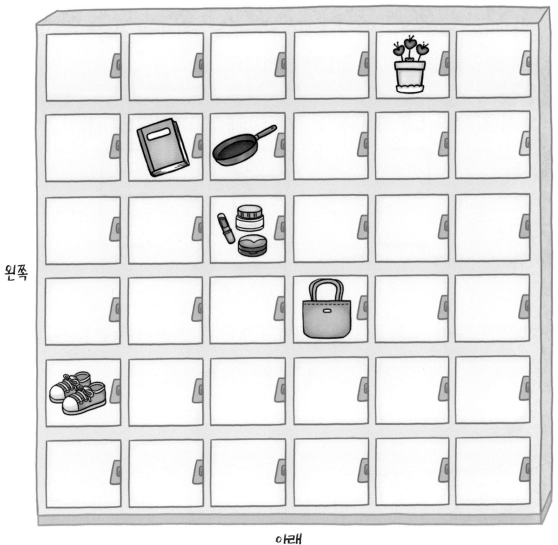

오른쪽에서 다섯째,
위에서 둘째

왼쪽에서 넷째,
아래에서 셋째

오른쪽에서 둘째,
아래에서 여섯째

왼쪽에서 셋째,
아래에서 다섯째

성냥개비로 수 만들기

창의·융합

준비물 · 붙임딱지

1 성냥개비로 수를 만든 후 성냥개비 1개를 옮기거나 더 사용하거나 빼서 다른 수를 만들려고 합니다. 물음에 답하세요.

보기
- 성냥개비로 5를 만든 후 성냥개비 1개를 옮겨서 3을 만들기

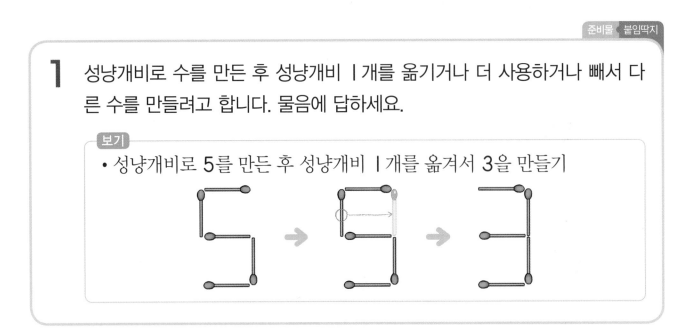

❶ 성냥개비로 만든 수 5에 성냥개비 1개를 더 사용하여 만들 수 있는 수를 붙임딱지를 이용하여 모두 만들어 보세요.

❷ 성냥개비로 만든 수 8에서 성냥개비 1개를 뺐을 때 만들 수 있는 수 중에서 8보다 작은 수를 붙임딱지를 이용하여 모두 만들어 보세요.

준비물 붙임딱지

2 보기 와 같이 성냥개비 7개를 모두 사용하여 1과 2를 만들 수 있습니다. 성냥개비 6개를 모두 사용하여 수를 2가지 만들어 보세요.

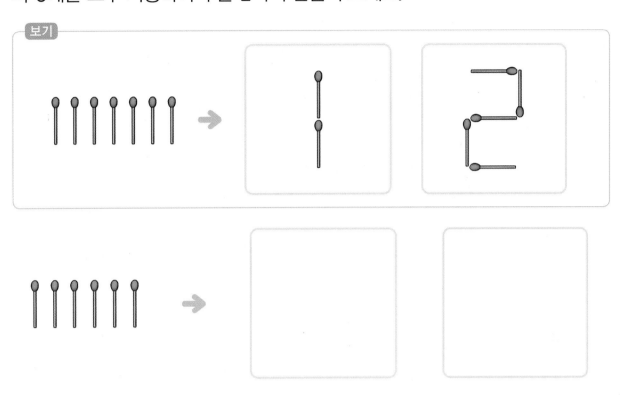

1
단원

준비물 붙임딱지

3 성냥개비 12개를 모두 사용하여 수를 2가지 만들어 보세요.

명령에 따라 움직이기

코딩

1 빨간 망토가 할머니 댁을 찾아가려고 합니다. 왼쪽 명령에 맞게 길을 따라 가면 할머니 댁을 찾아갈 수 있습니다. 다음을 보고 물음에 답하세요. (단, 화살표 명령 하나에 한 칸씩만 갈 수 있습니다.)

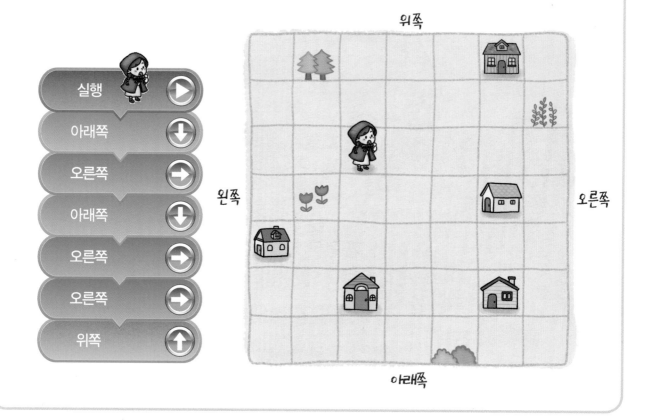

❶ 위의 명령에 따라 할머니 댁에 가는 길을 선으로 이어 보세요.

❷ 할머니 댁은 어디인지 ◯표 하세요.

준비물 붙임딱지

2 원숭이가 자동차를 타고 조종 버튼을 눌러 집에 가려고 합니다. 원숭이가 집에
도착할 수 있도록 조종 버튼 붙임딱지를 세 가지 방법으로 붙여 보세요.
(단, 버튼을 한 번 누를 때마다 한 칸씩 움직입니다.)

방법 ①	➡	⬇	
방법 ②	⬇		
방법 ③	⬇		

준비물 붙임딱지

3 펭귄이 잠수함을 타고 조종 버튼을 눌러 집에 가려고 합니다. 집에 가는 중간에
물고기를 먹고 가려고 할 때 조종 버튼 붙임딱지를 세 가지 방법으로 붙여 보세요.
(단, 버튼을 한 번 누를 때마다 한 칸씩 움직입니다.)

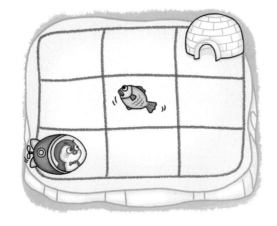

방법 ①	➡		
방법 ②	⬆		
방법 ③	⬆		

1 그림을 보고 염소, 돼지, 닭의 수를 세어 빈 곳에 알맞은 수를 써넣으세요.

2 그림의 순서를 써 보세요.

첫째

3 구슬이 10개가 되려면 몇 개가 더 있어야 할까요?

(   )

4 사탕은 7개보다 1개만큼 더 적게 있고, 초콜릿은 사탕보다 1개만큼 더 적게 있습니다. 초콜릿은 몇 개일까요?

(   )

1
단원

5 은지네 반 학생들의 사진입니다. 은지는 위에서 둘째, 왼쪽에서 둘째에 있는 친구와 놀이터에 갔습니다. 은지가 놀이터에 함께 간 친구의 이름을 써 보세요.

(   )

6 2보다 크고 9보다 작은 수는 모두 몇 개일까요?

(   )

7 학생들이 점심 시간에 급식을 받기 위해 한 줄로 서 있습니다. 진선이는 앞에서 다섯째, 뒤에서 셋째에 서 있습니다. 줄을 선 학생은 모두 몇 명일까요?

( )

8 성냥개비로 만든 수 6에 성냥개비 1개를 더 사용하여 만들 수 있는 수를 붙임 딱지를 이용하여 만들어 보세요.

준비물 붙임딱지

9 각 줄에 1, 2, 3, 4가 한 번씩 들어가도록 빈 곳에 알맞은 수를 써넣으세요.

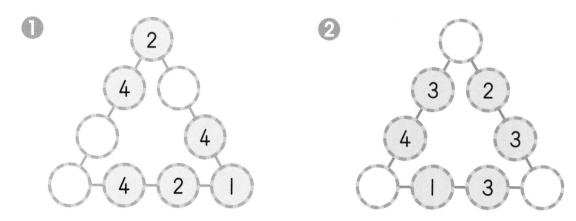

10 풍선 가게에서 빨간색, 노란색, 초록색 풍선을 팔고 있습니다. 처음에 있던 풍선과 팔고 남은 풍선이 다음과 같을 때 가장 많이 팔린 풍선의 색깔을 써 보세요.

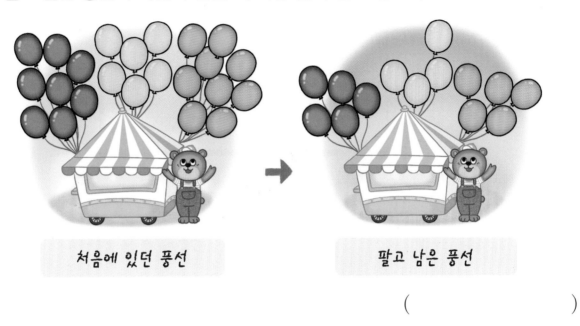

처음에 있던 풍선 ➡ 팔고 남은 풍선

(   )

11 거북이가 어항에 도착할 수 있도록 1부터 10까지 수의 순서대로 선을 이어 보세요.

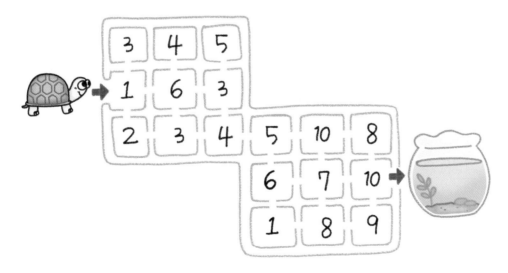

정답과 풀이 5쪽

12 다음을 만족하는 수를 모두 구해 보세요.

> • 3과 8 사이에 있는 수입니다.
> • 4보다 큰 수입니다.
> • 7보다 작은 수입니다.

(   )

13 카드의 수를 한 번씩 모두 사용하여 보기와 같이 계단의 위쪽으로 올라갈수록 점점 큰 수가 들어가게 하려고 합니다. 오른쪽 빈 곳에 알맞은 수를 써넣으세요.

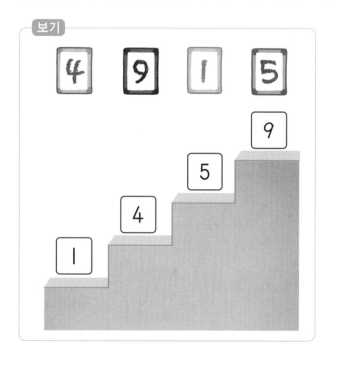

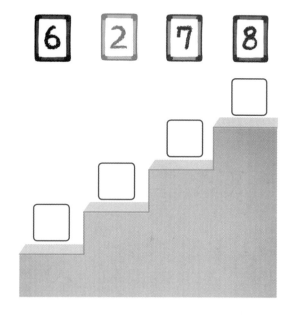

여러 가지 모양

❀ 여러 가지 모양 찾아보기

- 모양

  네모나게 생긴 모양을 찾습니다.

- 모양

  위가 동그랗게 생긴 모양을 찾습니다.

- 모양

  전체가 둥근 모양을 찾습니다.

❀ 여러 가지 모양 알아보기

- 모양 알아보기

  ① 평평한 부분으로만 되어 있습니다.
  ② 뾰족한 부분이 있습니다.
  ③ 쉽게 쌓을 수 있고, 굴러가지 않습니다.

- 모양 알아보기

  ① 평평한 부분과 둥근 부분이 있습니다.
  ② 뾰족한 부분이 없습니다.
  ③ 세우면 쌓을 수 있고, 눕히면 잘 굴러 갑니다.

- 모양 알아보기

  ① 둥근 부분으로만 되어 있습니다.
  ② 평평한 부분과 뾰족한 부분이 없습니다.
  ③ 잘 쌓을 수 없고, 잘 굴러갑니다.

❀ 여러 가지 모양 만들기

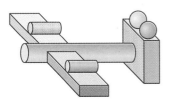

모양 3개, 모양 3개, 모양 2개를 이용하여 만들었습니다.

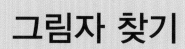
1 다음과 같이 왼쪽 모양을 주어진 방향에서 손전등을 비추었을 때 생기는 그림자를 알아보려고 합니다. 주어진 방향에서 손전등을 비추었을 때 생기는 그림자를 그려 보세요.

❶

❷

2 각 모양들이 들어갈 수 있는 문을 선으로 이어 보세요.

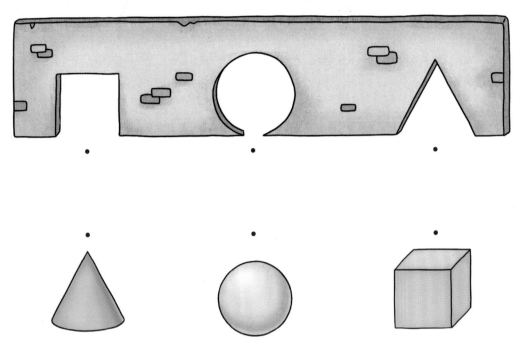

3 주어진 모양을 위, 앞, 옆에서 빛을 비추었을 때 생기는 그림자가 될 수 <u>없는</u> 모양을 모두 찾아 ×표 하세요.

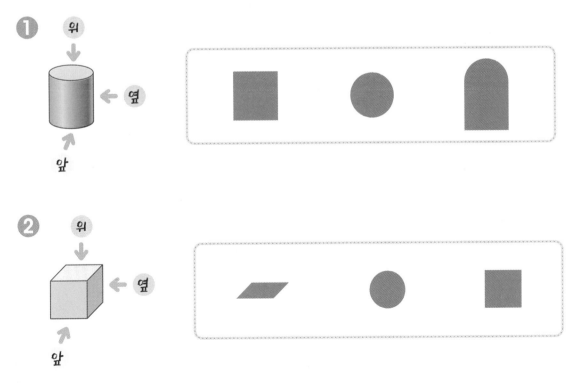

1 준수네 반은 다섯 고개 놀이를 하고 있습니다. 다음을 보고 물음에 답하세요.

고개	질문	선생님 대답
①	둥근 부분이 있습니까?	예
②	뾰족한 부분이 있습니까?	아니요
③	잘 굴러갑니까?	예
④	평평한 부분이 있습니까?	예
⑤	쌓을 수 있습니까?	예

❶ 둥근 부분이 있어서 잘 굴러가는 모양을 모두 찾아 ◯표 하세요.

(, ,)

❷ 평평한 부분이 있어서 잘 쌓을 수 있는 모양을 모두 찾아 ◯표 하세요.

(, ,)

❸ 다섯 고개 놀이에 대한 답으로 알맞은 모양에 ◯표 하세요.

(, ,)

2 설명에 알맞은 모양을 하나씩 찾아 ○표 하세요.

❶ 어느 방향으로도 잘 굴러갑니다.  —

❷ 잘 굴러가지 않습니다.  —

3 다음 상자 안에 있는 모양의 설명을 듣고 알맞은 모양에 ○표 하세요.

❶  평평한 부분이 6개 있어요.

(, ,)

❷  평평한 부분이 2개 있어요.

(, ,)

1 다음은 구멍이 뚫린 종이로 여러 가지 모양을 본 것입니다. 어떤 모양을 본 것인지 다음을 보고 물음에 답하세요.

 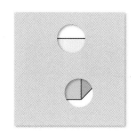 

❶ 위의 그림에서 구멍으로 보이는 부분을 다음 모양에서 찾아 ○표 하세요.

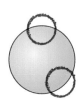

❷ 구멍이 뚫린 종이로 본 모양을 찾아 선으로 이어 보세요.

 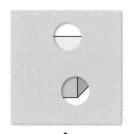 

2 설명하는 모양을 찾아 이어 보세요.

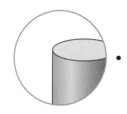　　　　평평한 부분과 둥근 부분이 있습니다.

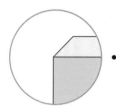　　　　둥근 부분만 있어서 쌓을 수 없습니다.

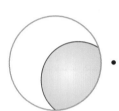　　　　뾰족한 부분이 있고 잘 쌓을 수 있습니다.

3 주어진 모양을 보고 같은 모양의 물건을 보기 에서 찾아 기호를 써 보세요.

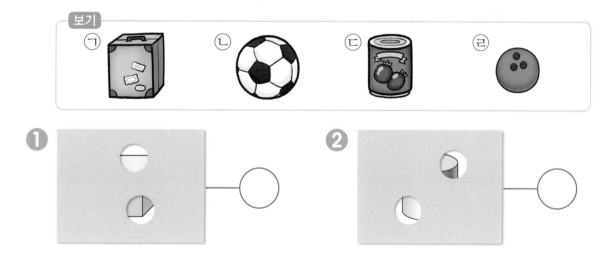

1 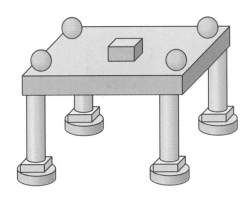 모양으로 다음과 같은 모양을 만들었습니다. 가장 많이 이용한 모양과 가장 적게 이용한 모양을 알아보려고 합니다. 물음에 답하세요.

❶ 위의 모양을 만드는 데 🔲, 🔲, ⬤ 모양을 몇 개 이용했는지 세어 보세요.

모양	🔲 모양	🔲 모양	⬤ 모양
개수(개)			

❷ 위의 모양을 만드는 데 가장 많이 이용한 모양을 찾아 ○표 하세요.

(🔲 , 🔲 , ⬤)

❸ 위의 모양을 만드는 데 가장 적게 이용한 모양을 찾아 ○표 하세요.

(, ,)

2 보기의 모양을 모두 이용하여 만들 수 있는 모양을 찾아 기호를 써 보세요.

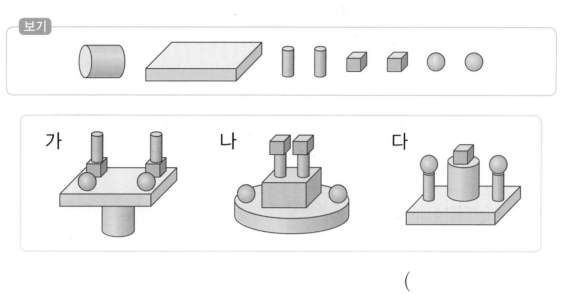

(   )

3 왼쪽 모양 블록으로 오른쪽 모양을 만들었습니다. 이용하고 남는 블록을 모두 찾아 ◯표 하세요.

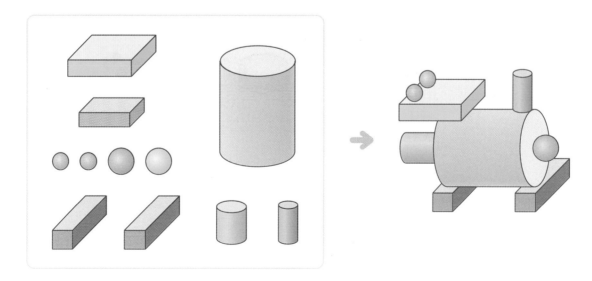

모양의 규칙 찾기

1 모양의 규칙에 따라 물건을 놓고 있습니다. 다음을 보고 물음에 답하세요.

❶ 규칙을 찾아 ㉮의 빈칸에 알맞은 물건에 ○표 하세요.

(   )   (   )   (   )

❷ 규칙을 찾아 ㉯의 빈칸에 알맞은 물건에 ○표 하세요.

(   )   (   )   (   )

❸ ㉮와 ㉯의 빈칸에 들어갈 물건의 모양이 <u>아닌</u> 것을 찾아 ○표 하세요.

(   )   (   )   (   )

2 다음과 같은 규칙으로 모양을 놓았습니다. 반복되는 부분을 찾아 점선 위에 선을 그어 나누어 보고, 빈칸에 들어갈 모양에 ◯표 하세요.

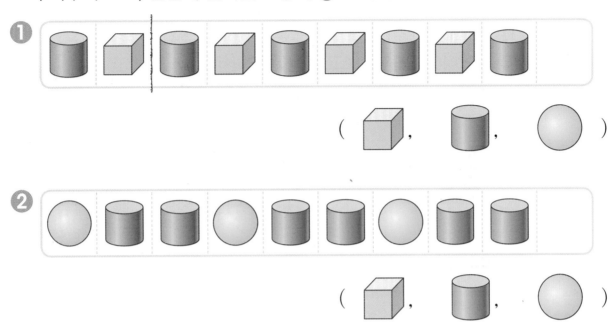

3 다음과 같은 규칙으로 ▨, ▤, ◯ 모양을 놓으려고 합니다. 10번째에는 어떤 모양이 놓이는지 알맞은 모양에 ◯표 하세요.

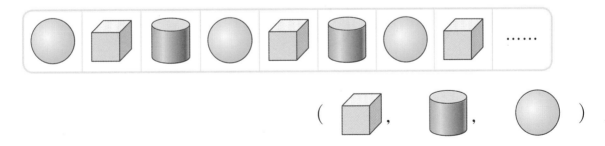

코딩

규칙에 따라 길 찾기

1 보기와 같이 규칙에 따라 출발에서 도착까지 모든 칸을 한 번씩만 지나가도록 하려고 합니다. 다음을 보고 물음에 답하세요.

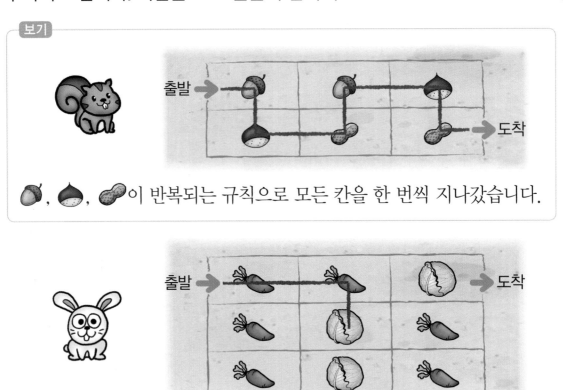

① 토끼가 규칙에 따라 출발에서 도착까지 과 가 있는 모든 길을 지나가려고 할 때 반복되는 부분으로 알맞은 것에 ○표 하세요.

(   )   (   )

② 위의 그림에 토끼가 반복되는 규칙에 따라 모든 칸을 한 번씩만 지나도록 선을 그어 보세요.

2 주어진 모양의 순서대로 출발에서 도착까지 위, 아래 또는 왼쪽, 오른쪽으로 선을 그어 보세요. (단, 한 번 지나간 칸은 다시 지나갈 수 없습니다.)

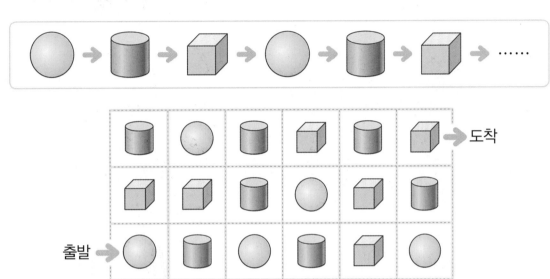

준비물 붙임딱지

3 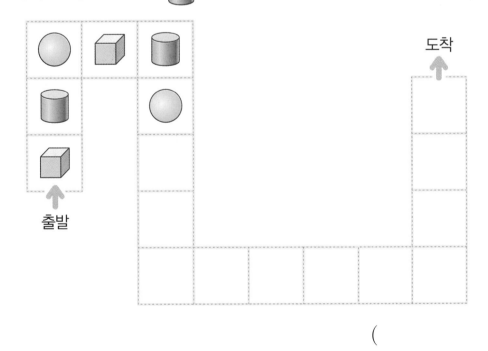 모양의 순서대로 출발에서 도착까지 빈칸에 붙임딱지를 붙여 모두 채워 보세요. 그리고 ⬭ 모양은 모두 몇 개가 되는지 구해 보세요.

(   )

1 왼쪽 모양을 앞에서 손전등으로 비추었을 때 생기는 그림자로 알맞은 것에 ○표 하세요.

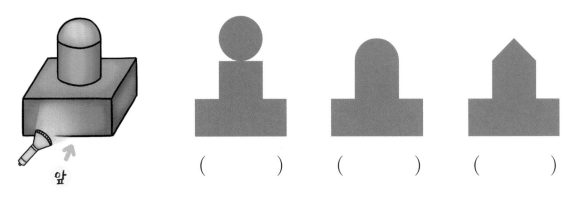

(   )   (   )   (   )

2 돼지가 집을 지으려고 합니다. 집을 지을 때 사용할 모양을 찾아 ○표 하세요.

쌓을 수 있지만 뾰족한 부분이 없는 모양을 사용할 거야.

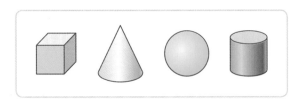

3 다음과 같은 규칙으로 모양을 놓았습니다. 반복되는 규칙을 찾아 점선 위에 선을 그어 보세요.

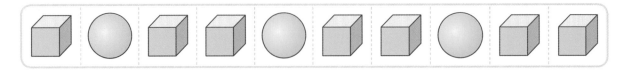

4 알맞은 모양을 찾아 이어 보세요.

 모든 부분이 둥글어서 쌓기가 힘들어.

 평평한 부분이 2개 있고 둥근 부분이 있어.

 평평한 부분만 있어서 잘 굴러가지 않아.

5 다음은 정우가 만든 모양입니다. 정우가 이용하지 <u>않은</u> 모양에 ○표 하세요.

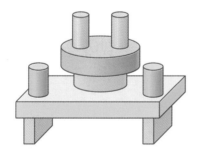

(, ,)

6 그림과 같이 기울어진 나무판에 모양을 올려놓았을 때 잘 굴러가지 <u>않는</u> 모양에 ○표 하세요.

↳ 나무판

(   )   (   )   (   )

7 규칙에 따라 물건을 놓았습니다. 빈칸에 들어갈 물건의 모양을 찾아 ◯표 하세요.

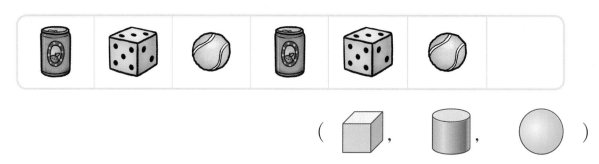

(⬛ , ⬤ , ◯)

8 설명에 알맞은 모양을 하나씩 찾아 ◯표 하세요.

한 방향으로
잘 굴러갑니다.

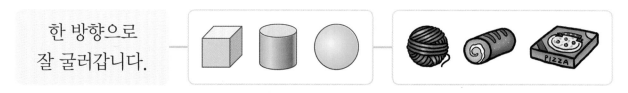

9 왼쪽 모양을 위와 앞에서 본 모양으로 알맞은 것을 찾아 이어 보세요.

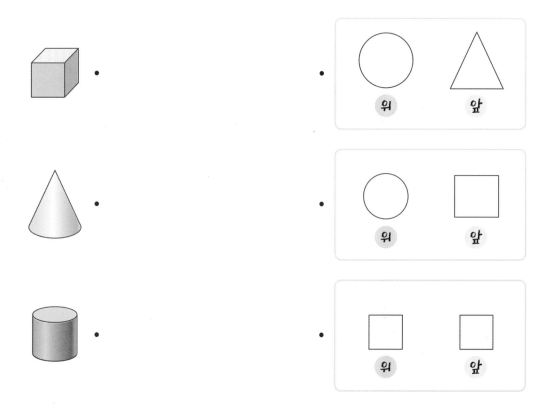

10 왼쪽과 같은 모양의 물건은 모두 몇 개인지 구해 보세요.

(   )

11 다음 모양을 만드는 데 이용한 ⬛, 🛢, ⚪ 모양은 각각 몇 개일까요?

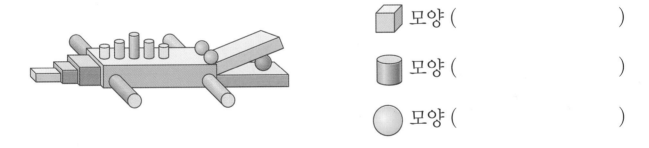

⬛ 모양 (   )

🛢 모양 (   )

⚪ 모양 (   )

12 퍼즐 조각을 맞추어 ⬛ 모양을 완성하려고 합니다. 빈칸에 들어갈 퍼즐 조각에 ◯표 하세요.

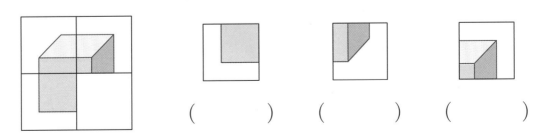

(   )   (   )   (   )

13 주어진 모양의 순서대로 출발에서 도착까지 위, 아래 또는 왼쪽, 오른쪽으로 모든 칸을 한 번씩만 지나가도록 선을 그어 보세요.

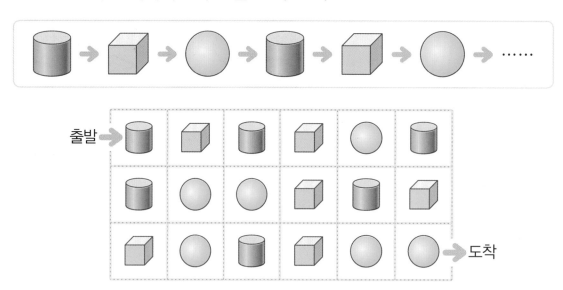

14 주어진 모양으로 만들 수 <u>없는</u> 모양을 찾아 기호를 써 보세요.

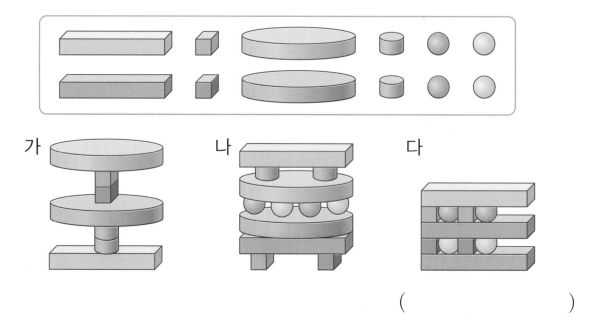

가 　　　　　　 나 　　　　　　 다

(　　　　　)

3 덧셈과 뺄셈

❄ 모으기와 가르기

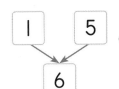 ➡ 1과 5를 모으기 하면 6이 됩니다.

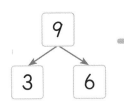 ➡ 9는 3과 6으로 가르기 할 수 있습니다.

❄ 덧셈식 쓰고 읽기

쓰기 $2+3=5$

읽기 ┌ 2 더하기 3은 5와 같습니다.
     └ 2와 3의 합은 5입니다.

❄ 뺄셈식 쓰고 읽기

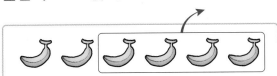

쓰기 $6-4=2$

읽기 ┌ 6 빼기 4는 2와 같습니다.
     └ 6과 4의 차는 2입니다.

❄ 0을 더하거나 빼기

• 어떤 수에 0을 더하거나 0에 어떤 수를 더하면 항상 어떤 수가 됩니다.

$$4+0=4 \qquad 0+7=7$$

• 어떤 수에서 0을 빼면 어떤 수가 되고, 어떤 수에서 그 수 전체를 빼면 0이 됩니다.

$$2-0=2 \qquad 8-8=0$$

❄ 덧셈과 뺄셈

• 더하는 수가 1씩 커지면 합도 1씩 커집니다.

$$4+1=5$$
$$4+2=6$$
$$4+3=7$$
$$4+4=8$$

• 빼는 수가 1씩 커지면 차는 1씩 작아집니다.

$$8-1=7$$
$$8-2=6$$
$$8-3=5$$
$$8-4=4$$

수 연결하기

1 합이 9가 되도록 두 수를 연결하려고 합니다. 다음을 보고 물음에 답하세요.

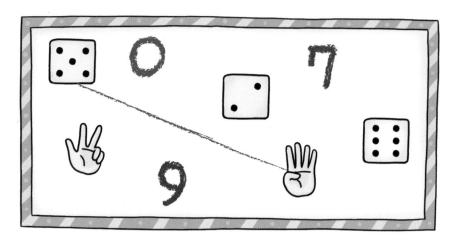

❶ 다음이 나타내는 수는 얼마인지 ☐ 안에 알맞은 수를 써넣으세요.

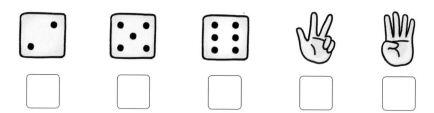

☐ ☐ ☐ ☐ ☐

❷ 두 수의 합이 9가 되는 덧셈식을 완성하여 보세요.

$$0+\boxed{}=9 \qquad 1+\boxed{}=9 \qquad \boxed{}+7=9$$

$$\boxed{}+6=9 \qquad \boxed{}+5=9$$

❸ 위의 그림에 합이 9가 되도록 두 수를 연결해 보세요.

2 합이 9가 되도록 두 수를 연결해 보세요.

3 합에 맞게 두 수를 연결해 보세요.

❶ 합이 7

❷ 합이 8

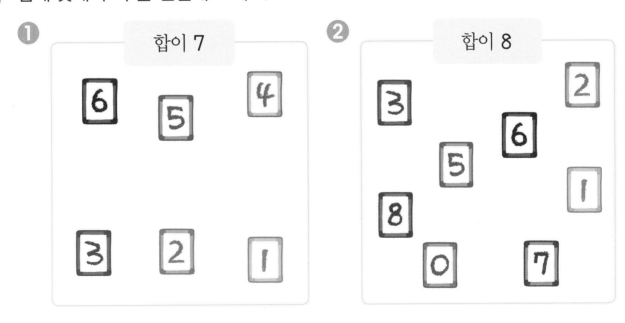

1 가르기와 모으기를 이용하여 ㉠과 ㉡에 알맞은 수의 합을 구하려고 합니다. 물음에 답하세요.

❶ ㉠에 알맞은 수는 얼마일까요?

( )

❷ ㉡에 알맞은 수는 얼마일까요?

( )

❸ ㉠과 ㉡에 알맞은 수의 합은 얼마일까요?

( )

2 다음 수를 가르기 해 보세요.

❶

❷

3 ㉠에 알맞은 수를 구해 보세요.

❶

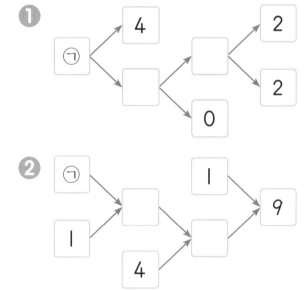

(   )

❷

(   )

유형 ③ 나누어 먹기

창의·융합

1 호두파이와 피자가 있습니다. 호두파이와 피자를 혜진이와 석호가 똑같이 나누어 먹으려고 합니다. 물음에 답하세요.

호두파이

피자

❶ 혜진이와 석호가 먹어야 하는 양만큼 색칠해 보세요.

호두파이　　　　　피자

혜진
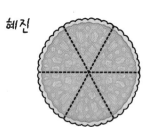

석호
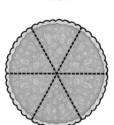

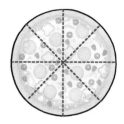

❷ 혜진이와 석호는 각각 호두파이와 피자를 몇 조각씩 먹으면 될까요?

호두파이 (　　　　　　　　), 피자 (　　　　　　　　)

2 주어진 수만큼 차이가 나도록 참외를 묶어 보세요.

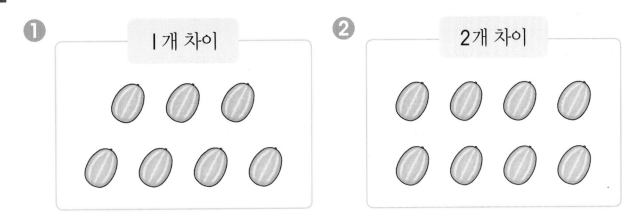

3 사탕 5개를 가은이와 채민이가 나누어 가지려고 합니다. 가은이가 채민이보다 사탕을 더 많이 가지게 되는 경우는 모두 몇 가지일까요? (단, 한 사람이 적어도 사탕을 한 개씩은 가집니다.)

가은이가 가지는 사탕 수(개)	1	2	3	4
채민이가 가지는 사탕 수(개)				

(   )

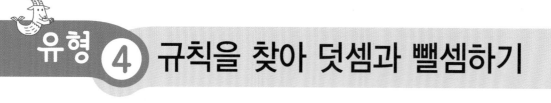

1 다음과 같이 어떤 수를 넣으면 넣은 수보다 얼마만큼 더 큰 수가 깨진 곳으로 나오는 요술항아리가 있습니다. ⑤와 ⑦을 요술항아리에 넣으면 어떤 수가 나오는지 구하려고 합니다. 물음에 답하세요.

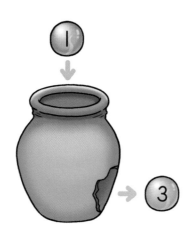

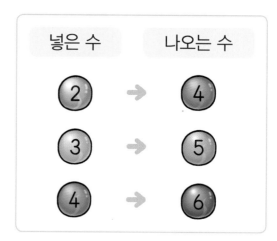

❶ 요술항아리에서 나오는 수는 넣은 수보다 얼마만큼 큰 수일까요?

(   )

❷ 요술항아리에 다음과 같은 수를 넣으면 어떤 수가 나오는지 ◯ 안에 알맞은 수를 써넣으세요.

2 다음과 같이 어떤 수를 넣으면 넣은 수보다 얼마만큼 작은 수가 나오는 요술상자가 있습니다. 다음을 보고 주어진 수를 넣으면 어떤 수가 나오는지 ○ 안에 알맞은 수를 써넣으세요.

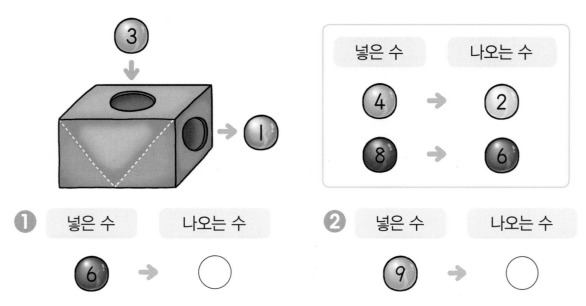

3 화살표 색깔의 규칙은 다음과 같습니다. 규칙을 보고 빈 곳에 알맞은 수를 써넣으세요.

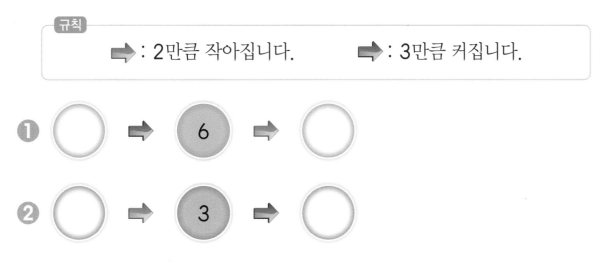

유형 ⑤ 덧셈식과 뺄셈식 만들기

창의·융합

1 주어진 세 수를 이용하여 덧셈과 뺄셈을 왼쪽과 같이 만들 수 있습니다. 이를 팩트 패밀리(fact family)라고 합니다. 세 수를 이용하여 오른쪽에 덧셈식과 뺄셈식을 만들어 보고 물음에 답하세요.

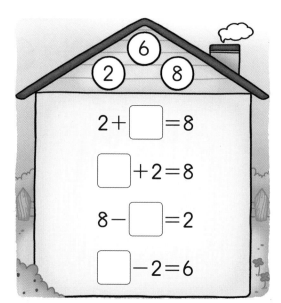

❶ 덧셈식을 보고 뺄셈식을 만들어 보세요.

$5+2=7$ → $\square-\square=\square$

$\square-\square=\square$

❷ 뺄셈식을 보고 덧셈식을 만들어 보세요.

$9-4=5$ → $\square+\square=\square$

$\square+\square=\square$

2 주어진 수를 이용하여 덧셈식과 뺄셈식을 만들어 보세요.

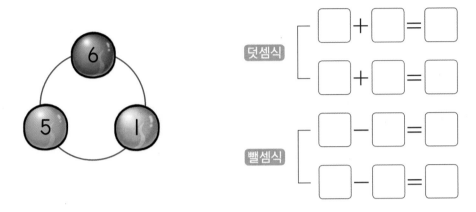

덧셈식
$\square + \square = \square$
$\square + \square = \square$

뺄셈식
$\square - \square = \square$
$\square - \square = \square$

3 4장의 수 카드 중에서 3장을 골라 덧셈식과 뺄셈식을 만들어 보세요.

| 1 | 9 | 6 | 8 |

덧셈식

뺄셈식

1 가로, 세로 방향으로 덧셈식과 뺄셈식이 성립하도록 다음 식을 완성하려고 합니다. 물음에 답하세요.

9	−	6	=	①
−				+
③				5
=				=
4	+	④	=	②

❶ ①에 알맞은 수는 얼마일까요?　　　　　　　　(　　　　　)

❷ ②에 알맞은 수는 얼마일까요?　　　　　　　　(　　　　　)

❸ ③에 알맞은 수는 얼마일까요?　　　　　　　　(　　　　　)

❹ ④에 알맞은 수는 얼마일까요?　　　　　　　　(　　　　　)

2 규칙에 따라 빈칸에 알맞은 수를 써넣으세요.

❶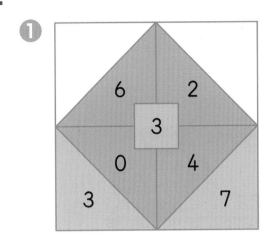

❷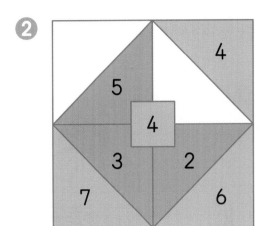

3 규칙을 찾아 ☐ 안에 알맞은 수를 써넣으세요.

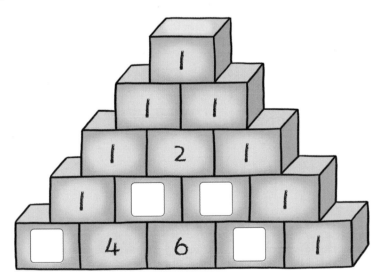

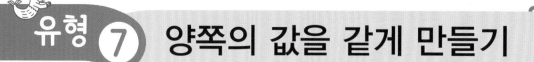

1 ○ 안에 ＋, －를 써넣어 양쪽의 값을 같게 만들려고 합니다. 다음을 보고 물음에 답하세요.

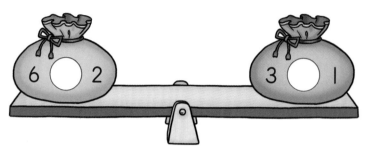

❶ 6과 2로 덧셈식과 뺄셈식을 각각 만들어 보세요.

덧셈식 _____

뺄셈식 _____

❷ 3과 1로 덧셈식과 뺄셈식을 각각 만들어 보세요.

덧셈식 _____

뺄셈식 _____

❸ 계산한 값이 같은 두 식을 각각 써 보세요.

(   )

❹ 위 그림에서 양쪽의 값이 같게 ○ 안에 ＋, －를 알맞게 써넣으세요.

2 그림과 같은 항아리가 있습니다. 두 항아리의 값이 같아지도록 항아리의 ○ 안에 +, -를 알맞게 써넣으세요.

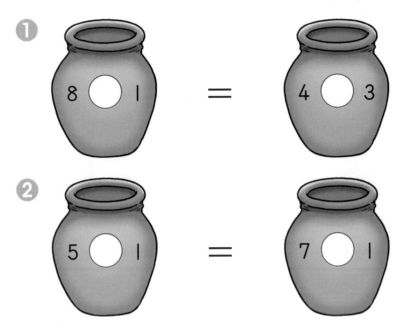

❶ 8 ○ 1 = 4 ○ 3

❷ 5 ○ 1 = 7 ○ 1

3 다음 저울은 양쪽의 무게가 같아야 기울어지지 않습니다. 무게가 같아지도록 할 때 필요하지 <u>않은</u> 추에 ×표 하세요. (단, 추에 쓰여 있는 수는 추의 무게를 나타냅니다.)

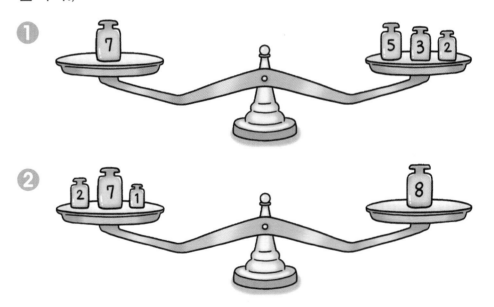

1 로봇이 왼쪽 명령어에 따라 길을 찾아가면서 길에 있는 구슬을 주워 가려고 합니다. 로봇이 주워 간 구슬은 모두 몇 개인지 구하려고 합니다. 물음에 답하세요.

❶ 로봇이 명령어에 따라 가게 되는 길을 오른쪽 그림에 선으로 그어 완성해 보세요.

❷ 로봇이 명령어에 따라 길을 찾아가면서 주워 간 구슬의 수를 구하는 식을 써 보세요.

식

❸ 로봇이 명령어에 따라 길을 찾아가면서 주워 간 구슬은 모두 몇 개일까요?

( )

2 개구리가 집을 찾아가려고 합니다. 가는 길에 있는 두 수의 합이 집에 있는 수와 같아지도록 명령어를 완성하고, 집까지 가는 길을 선으로 그어 보세요.

3 고양이가 생선을 찾아 가려고 합니다. 명령어에 따라 가는 길에 있는 두 수의 합을 구해야 생선을 먹을 수 있습니다. 식을 쓰고 답을 구해 보세요.

식 _____

답 _____

1 두 그림의 수를 모아서 6이 되는 것끼리 이어 보세요.

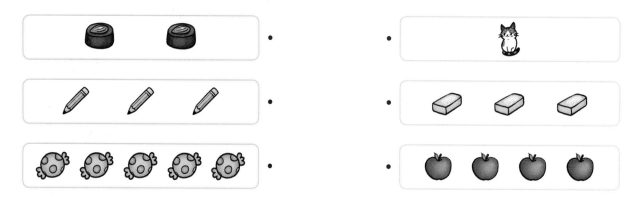

2 그림에 알맞은 문제를 완성하고, 식을 쓰고 답을 구해 보세요.

소가 ☐ 마리, 돼지가 ☐ 마리 있습니다. 소와 돼지는 모두 몇 마리일까요?

식 _____

답 _____

3 주어진 수만큼 차이가 나도록 초콜릿을 묶어 보세요.

| 개 차이

4 다음 수를 가르기 해 보세요.

8	1	2		4		6	
			5		3		1

5 가르기를 하여 빈 곳에 알맞은 수를 써넣으세요.

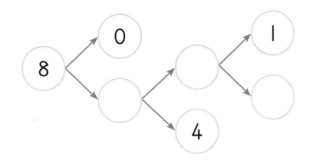

6 가로, 세로 방향으로 덧셈식과 뺄셈식이 성립하도록 빈 곳에 알맞은 수를 써넣으세요.

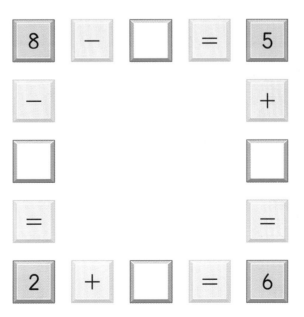

7 양쪽의 값이 같아지도록 주머니의 ○ 안에 +, −를 알맞게 써넣으세요.

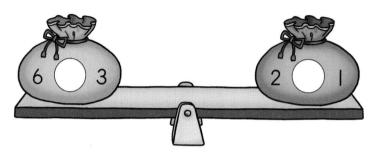

8 사탕 4개를 혜미와 슬기가 똑같이 나누어 먹으려고 합니다. 한 사람이 몇 개씩 가지면 될까요?

(   )

9 어떤 수를 넣으면 넣은 수보다 얼마만큼 더 큰 수가 나오는 요술항아리가 있습니다. 다음을 보고 주어진 수를 넣으면 어떤 수가 나오는지 ○ 안에 알맞은 수를 써넣으세요.

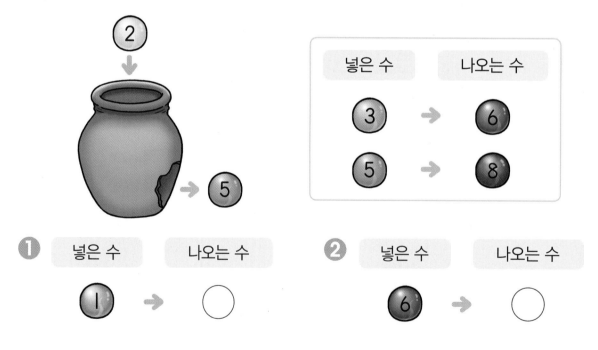

10 세 수를 모두 이용하여 덧셈식과 뺄셈식을 만들어 보세요.

덧셈식 [
_____

_____

뺄셈식 [
_____

_____

11 마주 보고 있는 두 수의 합이 같게 빈 곳에 알맞은 수를 써넣으세요.

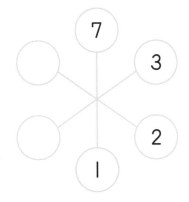

12 화살표 색깔의 규칙은 다음과 같습니다. 규칙을 보고 빈 곳에 알맞은 수를 써넣으세요.

규칙

➡ : 1만큼 작아집니다.   ➡ : 2만큼 커집니다.

13 꿀떡 8개를 지우와 동생이 나누어 먹으려고 합니다. 지우가 동생보다 4개 더 많이 먹으려면 지우는 꿀떡을 몇 개 먹으면 될까요?

(   )

14 다음은 각 모양이 나타내는 수이고, 겹쳐진 부분은 두 모양의 수의 합을 나타냅니다. 주어진 모양에서 겹쳐진 부분의 수를 나타내는 식을 써 보세요.

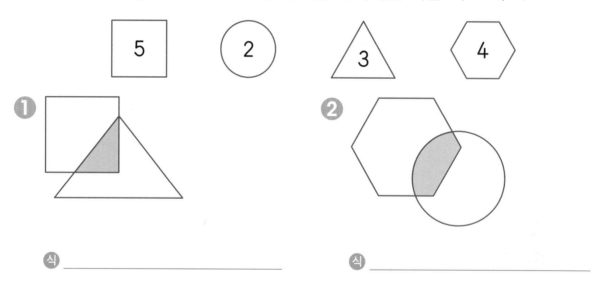

식 _____   식 _____

15 민우와 승기가 2개의 주사위를 각각 한 번씩 던졌습니다. 두 사람이 던진 두 주사위 눈의 수의 합이 같아지도록 빈 곳에 눈을 그려 보세요. (단, 던졌을 때 나온 눈의 수가 민우와 승기는 서로 다릅니다.)

4 비교하기

❋ 길이 비교하기

두 물건의 한쪽 끝을 맞추어 맞대었을 때
다른 쪽 끝이 더 많이 나간 것이 더 깁니다.

❋ 무게 비교하기

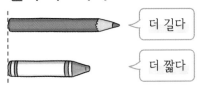

- 손으로 들어 보았을 때 힘이 더 드는 것
  이 더 무겁습니다.
- 양팔저울에 물건을 올려놓았을 때 아래
  로 내려가는 쪽이 더 무겁습니다.

❋ 넓이 비교하기

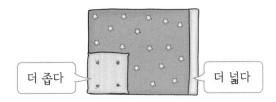

물건을 서로 겹쳐 보았을 때 남는 쪽이 있
는 것이 더 넓습니다.

❋ 담을 수 있는 양 비교하기

- 모양과 크기가 다른 그릇에 담을 수 있는
  양 비교

① 는 보다 담을 수 있는 양이

더 많습니다.

② 은 보다 담을 수 있는 양이

더 적습니다.

그릇의 크기가 클수록 담을 수 있는 양이
더 많습니다.

- 모양과 크기가 같은 컵에 담긴 양 비교

두 그릇의 모양과 크기가 같을 때 담긴 물
의 높이가 높을수록 물이 더 많습니다.

유형 ① **칸으로 길이 비교하기** 문제 해결

1 연필과 지우개의 길이를 비교하려고 합니다. 물음에 답하세요.

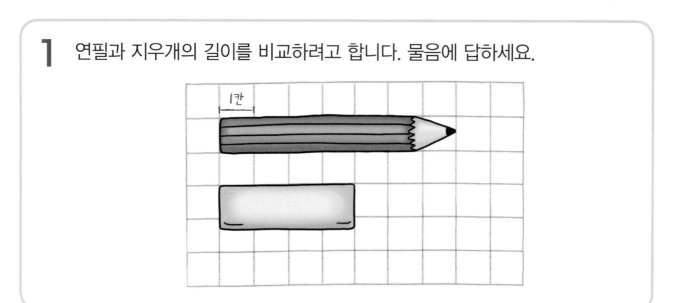

❶ 연필의 길이는 몇 칸일까요?

(   )

❷ 지우개의 길이는 몇 칸일까요?

(   )

❸ 연필과 지우개 중에서 어느 것이 더 길까요?

(   )

2 길이가 긴 것부터 순서대로 기호를 쓰세요.

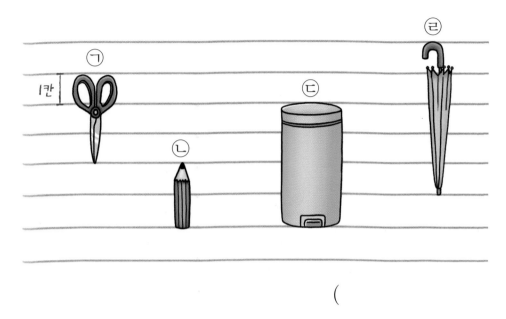

(   )

4
단원

3 보기 의 선보다 더 긴 선을 오른쪽에 그어 보세요.

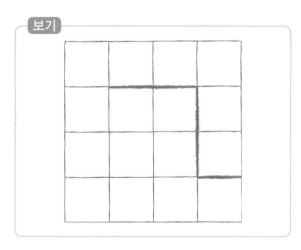

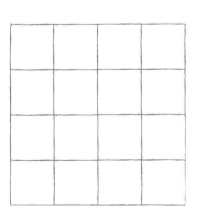

1 토끼 4마리가 언덕에 올라갔습니다. 언덕의 높이를 비교하려고 할 때, 다음을 보고 물음에 답하세요.

❶ 가장 높은 언덕에 올라간 토끼에 ○표 하세요.

(   ) (   ) (   ) (   )

❷ 가장 낮은 언덕에 올라간 토끼에 △표 하세요.

(   ) (   ) (   ) (   )

❸ 높은 언덕에 올라간 순서대로 1, 2, 3, 4를 써넣으세요.

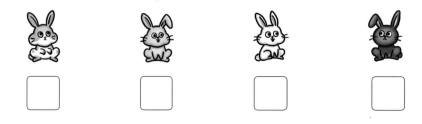

2 100 m 달리기를 해서 1등, 2등, 3등이 정해졌습니다. 이 중 키가 큰 학생부터 순서대로 이름을 써 보세요.

(   )

3 혜미네 반 학생들이 철봉 매달리기를 합니다. 키가 작은 순서대로 선다면 둘째에 서는 사람은 누구인지 써 보세요.

(   )

준비물 붙임딱지

1 다음은 민희네 마을 지도입니다. 분식집은 어느 곳인지 알아보려고 합니다. 물음에 답하세요.

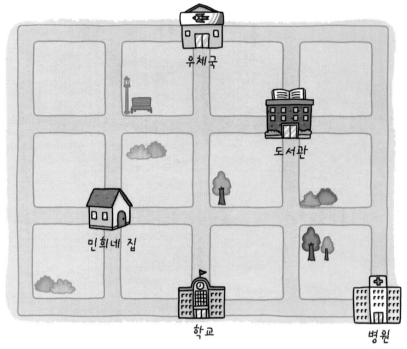

❶ 민희네 집에서 가장 가까운 곳은 어디일까요?

(   )

❷ 도서관과 같은 거리만큼 떨어져 있는 곳은 어디일까요?

(   )

❸ 민희네 집에서 가장 멀리 떨어진 곳에 분식집이 있습니다. 어느 곳에 있는 지 분식집 붙임딱지를 붙여 보세요.

2 정아 앞에 빨간색, 노란색, 초록색 깃발이 꽂혀 있습니다. 정아가 서 있는 곳에서 가장 가까운 곳에 꽂혀 있는 깃발은 무슨 색일까요?

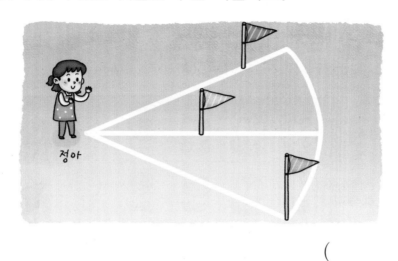

(   )

3 두더지 삼형제가 땅속에서 다음과 같은 방에 살고 있습니다. 첫째, 둘째, 셋째 중 땅 위에서 방이 가장 먼 두더지는 누구일까요?

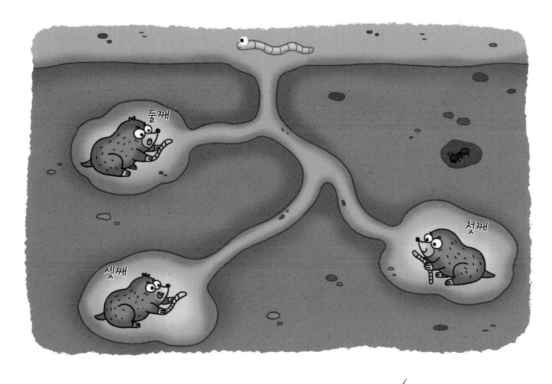

(   )

유형 ④ 넓이 비교하기

문제 해결

1 다음은 꽃밭의 넓이를 나타낸 것입니다. 튤립, 장미, 카네이션 중 가장 넓은 곳에 심은 꽃은 무엇인지 알아보세요.

❶ 튤립, 장미, 카네이션은 각각 몇 칸일까요?

튤립: ☐칸, 장미: ☐칸, 카네이션: ☐칸

❷ 튤립, 장미, 카네이션 중 가장 넓은 곳에 심은 꽃은 무엇일까요?

(   )

2 ㉮와 ㉯ 중 두 종이의 겹쳐진 부분이 더 넓은 것의 기호를 써 보세요.

㉮ 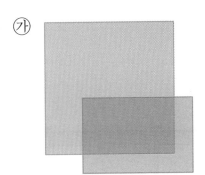   ㉯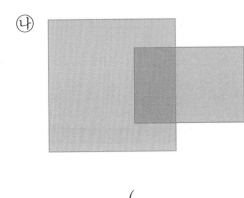

(   )

3 혜미와 승기는 같은 크기의 색종이를 한 장씩 가지고 있습니다. 점선을 따라 오렸을 때 생기는 가장 작은 부분을 비교하면 누구의 것이 더 좁을까요?

혜미 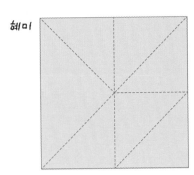   승기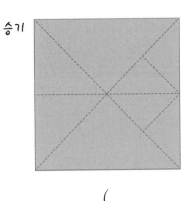

(   )

유형 5 무게 비교하기

추론

1 똑같은 고무줄에 가위와 상자를 매달았습니다. 가위보다 더 무거운 상자를 찾으려고 합니다. 물음에 답하세요.

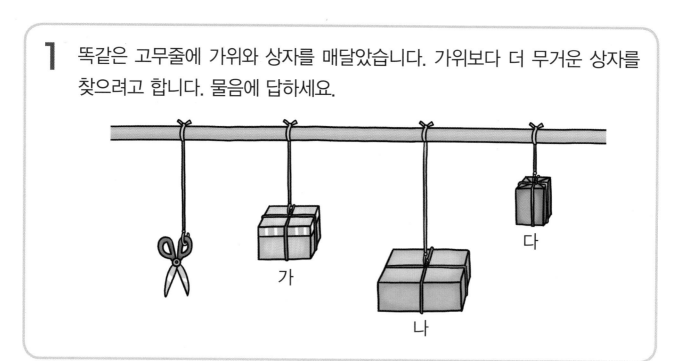

❶ 알맞은 말에 ◯표 하세요.

고무줄이 많이 늘어날수록 물건의 무게가 (무겁습니다 , 가볍습니다).

❷ 가위보다 더 무거운 상자를 찾아 기호를 써 보세요.

(   )

2 용수철 끝에 추가 매달려 있습니다. 무거운 추부터 순서대로 번호를 써넣으세요.

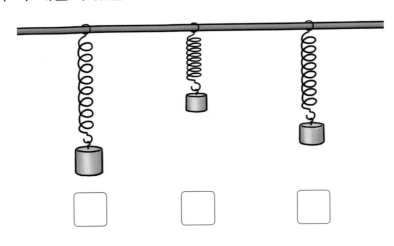

3 그림을 보고 가장 무거운 사람은 누구인지 써 보세요.

준수   동현   준수   연우

(   )

1 다음 세 그릇은 높이와 바닥에 닿는 면의 모양과 크기가 서로 같습니다. 그릇에 담을 수 있는 양을 비교하려고 합니다. 물음에 답하세요.

가    나    다

❶ 그릇 가와 나를 함께 겹쳐 보았습니다. 가와 나 중 어느 그릇에 담을 수 있는 양이 더 많을까요?

(   )

❷ 그릇 나와 다를 함께 겹쳐 보았습니다. 나와 다 중 어느 그릇에 담을 수 있는 양이 더 많을까요?

(   )

❸ 담을 수 있는 양이 많은 그릇부터 순서대로 기호를 써 보세요.

(   )

2 탁자 위에 뒤집은 모양이 같은 컵 2개가 있습니다. 두 컵에 높이가 같게 물을 담았습니다. 물을 더 많이 담은 컵에 ◯표 하세요.

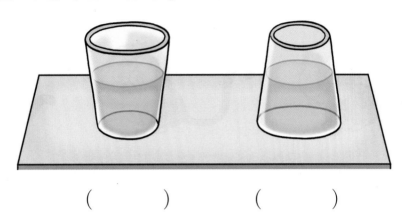

(   )   (   )

3 똑같은 컵 3개에 다음과 같이 물이 담겨 있습니다. 컵에 무게가 다른 구슬을 하나씩 넣었더니 물의 높이가 모두 같아졌습니다. 가장 무거운 구슬을 넣은 컵을 찾아 기호를 써 보세요.

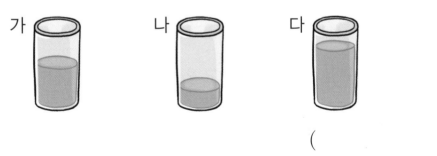

(   )

1 꼬리가 가장 긴 원숭이를 찾아 ○표 하세요.

(   )   (   )   (   )

2 높이를 비교하는 말에 모두 ○표 하세요.

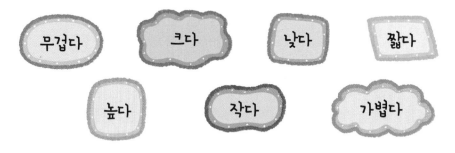

무겁다   크다   낮다   짧다

높다   작다   가볍다

3 진호는 두 번째로 낮은 집에 살고 있습니다. 진호네 집을 찾아 ○표 하세요.

(   )   (   )   (   )   (   )

4 길이가 가장 긴 것과 가장 짧은 것을 찾아 기호를 써 보세요.

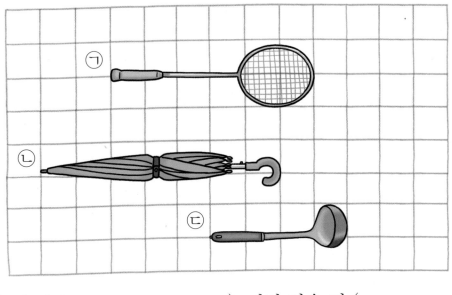

가장 긴 것 (   ), 가장 짧은 것 (   )

5 아람, 진수, 윤아는 체육 시간에 멀리뛰기를 했습니다. 멀리 뛴 순서대로 이름을 써 보세요.

(   )

6 가장 높이 날고 있는 연은 무슨 색깔인지 써 보세요.

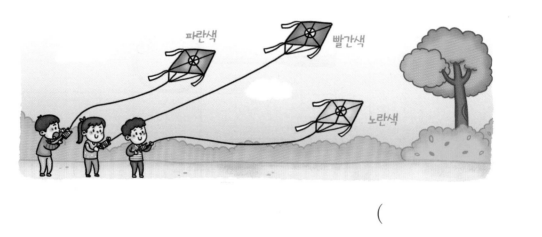

(   )

7 막대에 똑같은 고무줄을 묶어서 다음과 같이 물건을 매달았습니다. 공책보다 더 무거운 물건을 모두 찾아 ○표 하세요.

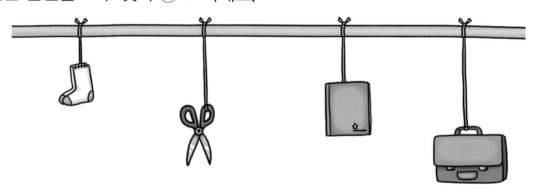

8 같은 크기의 색종이를 붙여 다음과 같은 모양을 만들었습니다. 넓이가 가장 좁은 것을 찾아 기호를 써 보세요.

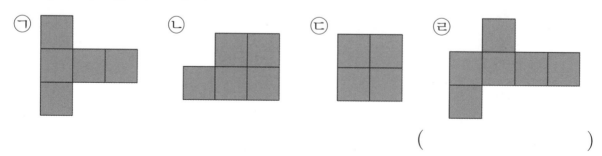

(   )

9 길이가 긴 선부터 순서대로 기호를 써 보세요.

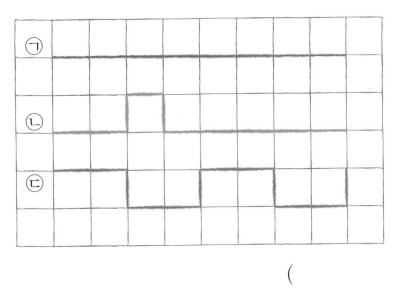

(   )

10 물을 많이 담을 수 있는 꽃병부터 순서대로 기호를 써 보세요.

(   )

11 ☆과 ❋를 각각 같은 모양끼리 빠짐없이 연결하여 가장 큰 모양을 만들었을 때, 어느 쪽이 더 넓은지 ◯표 하세요.

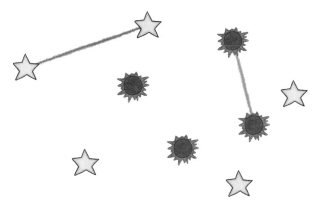

12 영주, 가은, 재호가 시소를 타고 있습니다. 세 사람 중에서 가장 무거운 사람은 누구일까요?

(   )

13 주호, 나은, 경미가 똑같은 주스를 마시고 남은 주스를 각자 다른 컵에 담았습니다. 주스를 가장 많이 마신 사람은 누구일까요?

(   )

14 공책과 달력을 겹쳐 보면 달력에 남는 부분이 있고, 달력과 스케치북을 겹쳐 보면 스케치북에 남는 부분이 있습니다. 공책, 달력, 스케치북 중에서 가장 넓은 것은 어느 것일까요?

(   )

50까지의 수

❀ 9 다음 수 알아보기

10	십
	열

9보다 1만큼 더 큰 수를 10이라고 합니다.

❀ 십몇 알아보기

13	십삼
	열셋

10개씩 묶음 1개와 낱개 3개를 13이라고 합니다.

11	12	13	14	15
십일	십이	십삼	십사	십오
열하나	열둘	열셋	열넷	열다섯
16	17	18	19	
십육	십칠	십팔	십구	
열여섯	열일곱	열여덟	열아홉	

❀ 모으기와 가르기

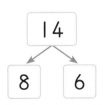

7과 4를 모으기 하면 11입니다.

14는 8과 6으로 가르기 할 수 있습니다.

❀ 50까지의 수 세기

30	삼십
	서른

10개씩 묶음 3개를 30이라고 합니다.

23	이십삼
	스물셋

10개씩 묶음 2개와 낱개 3개를 23이라고 합니다.

❀ 수의 순서 알아보기

31	32	33	34	35	36	37	38	39	40
41	42	43	44	45	46	47	48	49	50

└→ 바로 앞의 수
- 44보다 1만큼 더 작은 수는 43입니다.
- 44보다 1만큼 더 큰 수는 45입니다.
└→ 바로 뒤의 수

❀ 수의 크기 비교

- 10개씩 묶음의 수가 다른 경우

  예 41 > 39 → 10개씩 묶음의 수를 비교합니다.
  → 4>3

- 10개씩 묶음의 수가 같은 경우

  예 35 < 37 → 낱개의 수를 비교합니다.
  → 5<7

1 같은 수를 나타내는 것끼리 같은 모양으로 표시하려고 합니다. 물음에 답하세요.

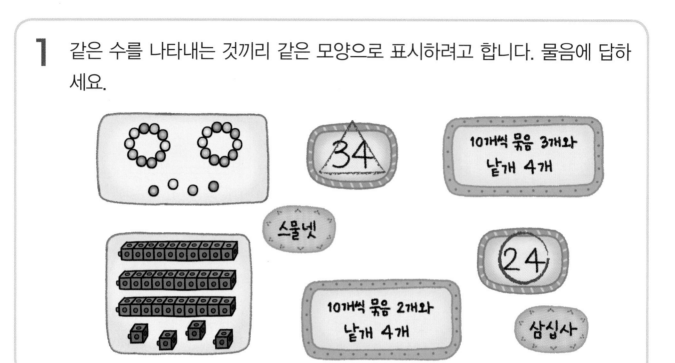

❶ 그림이 나타내는 수를 ☐ 안에 써넣으세요.

❷ 다음이 나타내는 수를 ☐ 안에 써넣으세요.

❸ 위 그림에 같은 수를 나타내는 것끼리 같은 모양으로 표시해 보세요.

2  를 이용하여 보기 의 모양을 몇 개 만들 수 있을까요?

(   )

3 카드의 왼쪽에는 1만큼 더 작은 수를, 오른쪽에는 1만큼 더 큰 수를 써넣으세요.

❶ [   ] ←1만큼 더 작은 수— | 10개씩 묶음 4개와 낱개 3개인 수 | —1만큼 더 큰 수→ [   ]

❷ [   ] ←1만큼 더 작은 수— | 10개씩 묶음 2개와 낱개 17개인 수 | —1만큼 더 큰 수→ [   ]

1 Ⅰ부터 49까지의 수가 규칙에 따라 다음과 같이 순서대로 놓여 있습니다. 물음에 답하세요.

❶ 위의 그림에 규칙에 따라 수를 순서대로 선으로 이어 보세요.

❷ 위의 그림에 규칙에 따라 빈칸에 알맞은 수를 써넣으세요.

준비물 붙임딱지

2 지우와 준수의 사물함이 잠겨 있습니다. 지우와 준수의 사물함을 찾아 열쇠 붙임 딱지를 붙여 보세요.

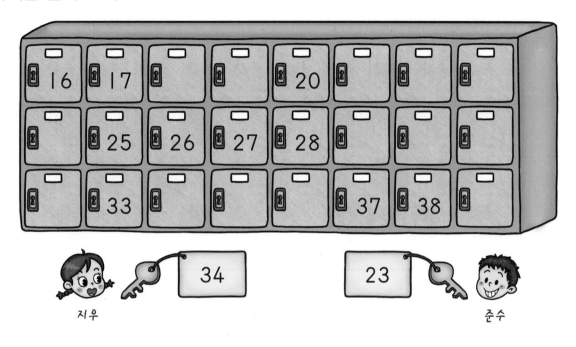

3 펭귄이 모든 칸을 한 번씩 지나 생선을 먹으러 갈 수 있도록 수를 순서대로 연결 해 보세요.

1 도넛과 초콜릿을 둘씩 짝을 지을 수 있는지 없는지 알아보려고 합니다. 다음을 보고 물음에 답하세요.

❶ 빈 곳에 도넛과 초콜릿의 수를 써넣고, 둘씩 묶어 보세요.

❷ 위 ❶을 보고 알맞게 이어 보세요.

둘씩 짝을 지을 수 없습니다.   둘씩 짝을 지을 수 있습니다.

2 꽃잎의 수를 빈 곳에 써넣고, 꽃잎을 둘씩 짝을 지을 수 있으면 ◯표, 짝을 지을 수 없으면 ✕표 하세요.

❶

□

(   )

❷

□

(   )

3 주어진 수를 둘씩 짝을 지을 수 있는 수와 짝을 지을 수 없는 수로 나누어 빈 곳에 써넣으세요.

2	5	8	10	13	16	19

둘씩 짝을 지을 수 있는 수

둘씩 짝을 지을 수 없는 수

유형 ④ 조건에 맞는 수 찾기 추론

1 다음 수 카드 중에서 조건 에 모두 알맞은 카드를 찾으려고 합니다. 물음에 답하세요.

| 27 | 38 | 32 | 33 |

조건
• 30보다 크고 40보다 작은 수입니다.
• 낱개의 수가 10개씩 묶음의 수보다 큽니다.

❶ 30보다 크고 40보다 작은 수를 모두 찾아 써 보세요.

(   )

❷ 위 ❶에서 찾은 수 중에서 낱개의 수가 10개씩 묶음의 수보다 큰 수를 써 보세요.

(   )

2 요정이 말하는 수와 같은 수만큼 주머니에 금화가 들어 있습니다. 주머니에 들어 있는 금화의 수를 빈 곳에 써넣으세요.

❶ 8보다 크고 12보다 작은 수 중 10개씩 묶음의 수와 낱개의 수가 같은 수

▶ ☐ 개

❷ 10개씩 묶음 2개와 낱개 6개인 수보다 1만큼 더 작은 수

▶ ☐ 개

3 문에 알맞은 열쇠를 각각 찾아 이어 보세요.

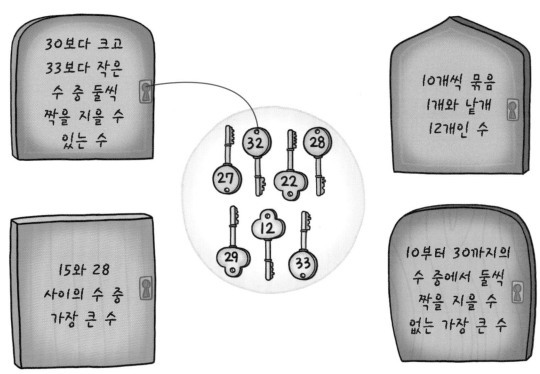

30보다 크고 33보다 작은 수 중 둘씩 짝을 지을 수 있는 수

10개씩 묶음 1개와 낱개 12개인 수

15와 28 사이의 수 중 가장 큰 수

10부터 30까지의 수 중에서 둘씩 짝을 지을 수 없는 가장 큰 수

27 32 22 28 29 12 33

5 단원

유형 **5**   **수 만들기**   문제 해결

1 수 카드 2, 4, 1 중 2장을 골라 한 번씩만 사용하여 몇십몇을 만들려고 합니다. 만들 수 있는 수 중에서 가장 큰 수와 가장 작은 수를 각각 구하려고 할 때, 물음에 답하세요.

❶ 수 카드의 수를 큰 수부터 순서대로 써 보세요.

(   )

❷ 만들 수 있는 수 중에서 가장 큰 몇십몇을 써 보세요.

(   )

❸ 만들 수 있는 수 중에서 가장 작은 몇십몇을 써 보세요.

(   )

2 지선이는 10개씩 묶음의 수를 나타내는 빨간색 공과 낱개의 수를 나타내는 파란색 공을 1개씩 뽑아서 수를 만들려고 합니다. 만들 수 있는 수 중에서 가장 큰 수를 구해 보세요.

(   )

3 상자 안에 들어 있는 공 중에서 2개를 꺼내 공에 적힌 수를 한 번씩만 사용하여 몇십몇을 만들려고 합니다. 만들 수 있는 수 중에서 33보다 큰 수는 모두 몇 개인지 표를 완성하여 구해 보세요.

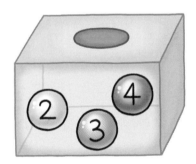

10개씩 묶음의 수	2	2	3		
낱개의 수	3	4			

(   )

유형 **6** 명령어에 따라 달리기 코딩

1 사자와 치타가 명령어에 따라 달리기를 했습니다. 사자와 치타가 도착한 칸이 나타내는 수의 크기를 비교하려고 합니다. 물음에 답하세요.

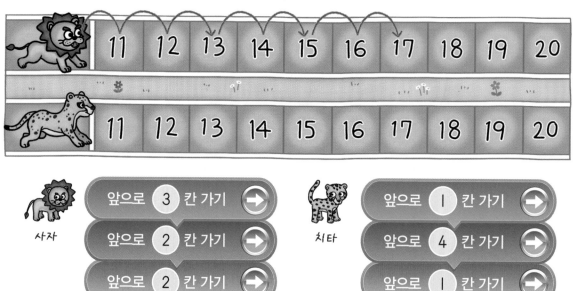

❶ 치타의 명령어를 보고 위의 그림에 치타가 도착한 곳을 표시해 보세요.

❷ 사자와 치타는 각각 어느 수가 적힌 칸에 도착했을까요?

사자 (   ), 치타 (   )

❸ 사자와 치타 중에서 어떤 동물이 도착한 칸의 수가 더 클까요?

(   )

준비물 붙임딱지

2 동물들이 달리기 시합을 하고 있습니다. 블록 명령어에 따라 도착한 칸에 동물 붙임딱지를 붙여 보세요.

5 단원

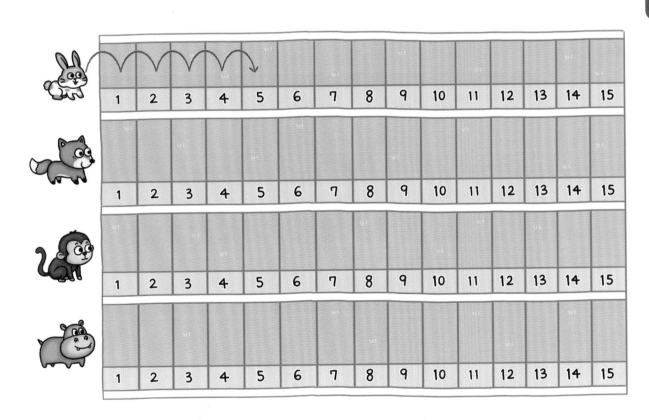

1 딸기의 수를 세어 쓰고, 두 가지 방법으로 읽어 보세요.

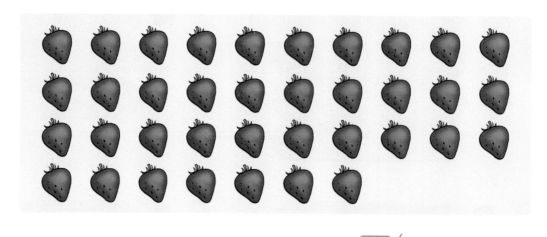

쓰기 (   )

읽기 (,   )

2 나타내는 수가 같은 것끼리 이어 보세요.

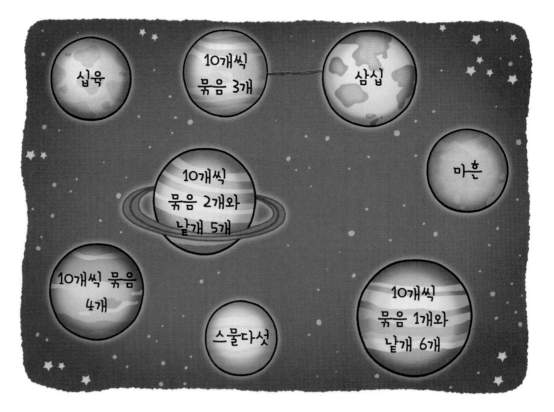

3 빈칸에 알맞은 수를 써넣으세요.

21	22	23	24		26	27		29	
31	32		34	35					40
41	42	43				47	48		

4 다음을 보고 알맞게 읽은 것에 ○표 하고, ☐ 안에 알맞은 수를 써넣으세요.

과수원에서 복숭아를 15(열다섯 , 십오)개 땄다.

한 상자에 10개씩 넣으니 ☐ 상자가 되고 ☐ 개가 남았다.

15(열다섯 , 십오)일 후에 방학하면 또 와야지.

5 규칙에 따라 수를 놓으려고 합니다. 빈칸에 알맞은 수를 써넣으세요.

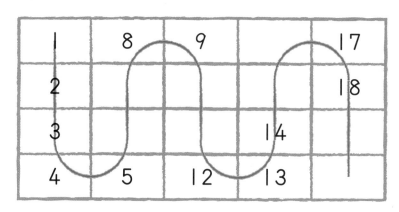

6 다음 꽃의 꽃잎이 바람에 3장 떨어지고 나면 남아 있는 꽃잎은 둘씩 짝을 지을
수 있는지 없는지 알맞은 말에 ◯표 하세요.

➡ 짝을 지을 수 (있습니다 , 없습니다).

7 3장의 수 카드 중에서 2장을 뽑아 한 번씩만 사용하여 몇십몇을 만들려고 합니
다. 만들 수 있는 수 중에서 가장 큰 수와 가장 작은 수를 각각 구해 보세요.

가장 큰 수 (   )

가장 작은 수 (   )

8 둘씩 짝을 지을 수 있는 수에 ◯표를, 둘씩 짝을 지을 수 없는 수에 △표를 하세요.

1	2	3	4	5	6	7	8	9	10
11	12	13	14	15	16	17	18	19	20

9 조건 을 만족하는 수는 모두 몇 개일까요?

> 조건
> • 10개씩 묶음 2개와 낱개 15개인 수보다 작은 수입니다.
> • 30보다 큰 수입니다.

(   )

10 영진이네 반과 은지네 반 중 누구네 반 학생이 더 많은지 구해 보세요.

우리 반은 20명보다 6명 더 많아.

영진

우리 반은 30명보다 5명 더 적어.

은지

(   )

11 정아와 연수는 풍선 터트리기를 하였습니다. ⬬을 터트리면 IO점, ⬬을 터트리면 I점을 얻습니다. 빈 곳에 알맞은 수를 써넣고, 누구의 점수가 더 높은지 구해 보세요.

(   )

12 소현이가 버스를 타고 할아버지 댁에 갔습니다. 소현이의 자리 번호는 조건을 모두 만족하는 수입니다. 소현이의 자리에 ○표 하세요.

> 조건
> • IO개씩 묶음이 2개인 수입니다.
> • 24보다 작은 수입니다.
> • IO개씩 묶음의 수가 낱개의 수보다 작은 수입니다.

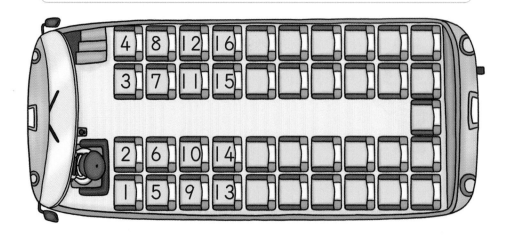

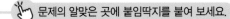
문제의 알맞은 곳에 붙임딱지를 붙여 보세요.

9쪽

11쪽 · 12쪽

15쪽

16~17쪽 · 22쪽

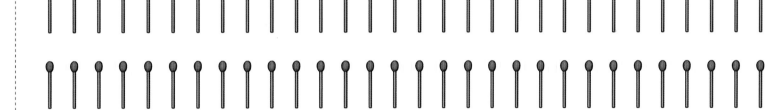

19쪽

37쪽

70쪽 · 87쪽 · 95쪽

Go!
메뚜

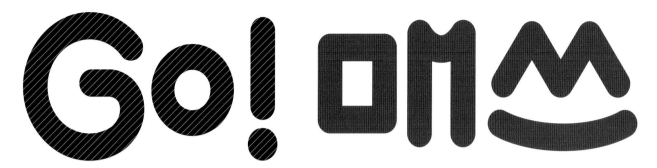

교과서 GO! 사고력 GO!

사고력 중심

Jump
유형 사고력

정답과 풀이 수학 1-1

열심히
풀었으니까,
한 번 맞춰 볼까?

유형 ① 세어 보기 _{문제 해결}

정답과 풀이 1쪽

1 농장에 있는 동물이 많은 것부터 알아보려고 합니다. 물음에 답하세요.

❶ 동물은 각각 몇 마리인지 세어 보세요.

  6 마리   8 마리   4 마리

✚ 돼지를 세어 보면 여섯이므로 6마리입니다.
닭을 세어 보면 여덟이므로 8마리입니다.
염소를 세어 보면 넷이므로 4마리입니다.

❷ 동물이 많은 것부터 순서대로 번호를 써넣으세요.

　2　　　　I　　　　3

✚ 6, 8, 4의 크기를 비교하면 8이 가장 크고 4가 가장 작습니다.
따라서 동물이 많은 것부터 순서대로 쓰면 닭, 돼지, 염소입니다.

2 어항에 있는 동물의 수를 세어 보고 □ 안에 알맞은 수를 써넣으세요.

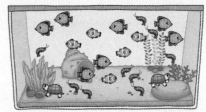

 5 마리   9 마리    7 마리

✚ 노란색 물고기를 세어 보면 다섯이므로 5마리입니다.
새우를 세어 보면 아홉이므로 9마리입니다.
파란색 물고기를 세어 보면 일곱이므로 7마리입니다.

3 구슬이 10개가 되려면 몇 개가 더 있어야 하는지 □ 안에 알맞은 수를 써넣으세요.

❶  2 개　　　❷ 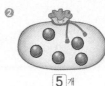 5 개

✚ ❶ 노란색 구슬을 세어 보면 8개이므로 10개가 되려면 2개가 더 있어야 합니다.
❷ 파란색 구슬을 세어 보면 5개이므로 10개가 되려면 5개가 더 있어야 합니다.

유형 ② 순서에 맞게 길 찾기 _{창의 · 융합}

정답과 풀이 1쪽

1 1부터 10까지 수의 순서에 맞게 길을 따라가면 토끼의 집을 찾을 수 있습니다. 물음에 답하세요.

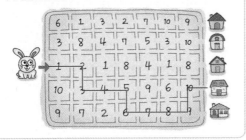

❶ 위의 그림에 1부터 10까지 수의 순서대로 선을 이어 보세요.

❷ 토끼의 집을 찾아 ○표 하세요.

2 개구리가 집을 찾아갈 수 있도록 숫자 연잎 붙임딱지를 1부터 10까지 순서대로 모두 붙여 보세요. (단, 붙임딱지는 한 칸에 하나씩만 붙이고, 칸을 건너뛰어 움직이지 않습니다. 또한 가로 또는 세로 방향으로만 갈 수 있습니다.)

✚ 오른쪽과 같이 1부터 10까지 여러 가지 방법으로 연잎을 놓을 수 있습니다.

3 벌이 모든 칸을 한 번씩 지나서 꽃이 있는 곳까지 갈 수 있도록 수를 순서대로 연결해 보세요. (단, 한 번 지나간 칸은 다시 지나갈 수 없습니다.)

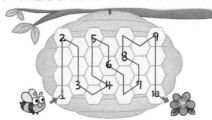

GO! 매쓰 Jump 정답

유형 ③ 몇째인지 구하기 【문제 해결】

1 달리기를 하는 학생이 모두 몇 명인지 알아보려고 합니다. 물음에 답하세요.

❶ 동현이는 앞에서 몇째로 달리고 있을까요?

(**다섯째**)

❷ 동현이는 뒤에서 넷째로 달리고 있습니다. 동현이 뒤에는 몇 명이 달리고 있을까요?

(**3명**)

동현 ——— 3명 ———
❖ ● ○ ○ ○ (뒤) ➡ 동현이 뒤에는 3명이 달리고 있습니다.
   넷째 셋째 둘째 첫째

❸ 달리기를 하고 있는 학생은 모두 몇 명일까요?

(**8명**)

            동현 ——3명——
❖ ○ ○ ○ ○ ● ○ ○ ○
  첫째 둘째 셋째 넷째 다섯째 여섯째 일곱째 여덟째
  ➡ 달리기를 하는 학생은 모두 8명입니다.

2 동물이 살고 있는 집을 찾아 동물 붙임딱지를 붙이고 선으로 이어 보세요.

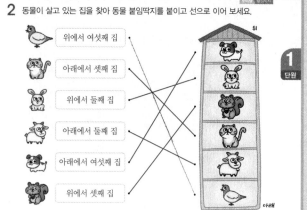

위에서 여섯째 집
아래에서 셋째 집
위에서 둘째 집
아래에서 둘째 집
아래에서 여섯째 집
위에서 셋째 집

3 알림판에 그림 카드를 붙였습니다. 🍌 는 어느 곳에 있는지 ☐ 안에 알맞은 말을 써넣으세요.

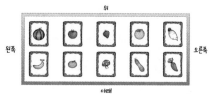

🍌 는 위에서 **둘** 째, 오른쪽에서 **다섯** 째에 있습니다.

유형 ④ 조건에 맞는 수 찾기 【창의 · 융합】

1 가장 작은 수가 적힌 공을 찾으려고 합니다. 물음에 답하세요.

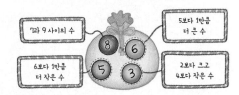

7과 9 사이의 수
5보다 1만큼 더 큰 수
6보다 1만큼 더 작은 수
2보다 크고 4보다 작은 수

❶ 조건에 맞는 수를 찾아 ○표 하세요.

7과 9 사이의 수	6, 7, ⑧, 9
5보다 1만큼 더 큰 수	⑥, 7, 8, 9
6보다 1만큼 더 작은 수	1, 2, 3, 4, ⑤
2보다 크고 4보다 작은 수	1, 2, ③, 4, 5

❖ · 5보다 1만큼 더 큰 수는 5 다음 수인 6입니다.
   · 6보다 1만큼 더 작은 수는 6 앞의 수인 5입니다.
   · 2보다 크고 4보다 작은 수는 2와 4 사이에 있는 수인 3입니다.

❷ 조건에 맞는 수가 적힌 공을 찾아 위의 그림에 붙임딱지를 붙여 보세요.

❸ 가장 작은 수가 적힌 공의 수는 얼마일까요?

(**3**)

❖ 8, 6, 5, 3 중에서 가장 작은 수는 3입니다.

2 색칠한 칸의 수가 8보다 작은 수만큼 있는 모양을 모두 찾아 기호를 써 보세요.

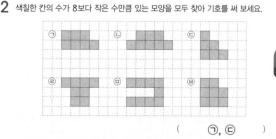

(**㉠, ㉢**)

❖ ㉠ 7칸, ㉡ 8칸, ㉢ 6칸, ㉣ 8칸, ㉤ 9칸, ㉥ 8칸
 ➡ 8보다 작은 수만큼 있는 모양은 7칸, 6칸이므로 ㉠, ㉢입니다.

3 ☐ 안에 들어갈 수 있는 수에 모두 ○표 하세요.

❶ 3은 ☐보다 작습니다. ── 2 3 ④ ⑤

❷ ☐은(는) 5보다 큽니다. ── 4 5 ⑥ ⑦

❸ ☐은(는) 8보다 작습니다. ── ⑥ ⑦ 8 9

❖ ❶ ☐ 안에는 3보다 큰 수가 들어가야 하므로 ☐ 안에 들어갈 수 있는 수는 4, 5입니다.
 ❷ ☐ 안에는 5보다 큰 수가 들어가야 하므로 ☐ 안에 들어갈 수 있는 수는 6, 7입니다.
 ❸ ☐ 안에는 8보다 작은 수가 들어가야 하므로 ☐ 안에 들어갈 수 있는 수는 6, 7입니다.

유형 **5**　　　위치 찾기　　정보 처리

정답과 풀이 3쪽

1 그림을 보고 주어진 책상의 위치를 알아보려고 합니다. 알맞은 말에 ○표 하세요.

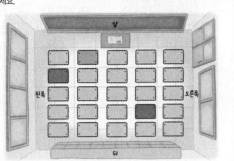

❶ [ ] 책상은 [(**왼쪽**, 오른쪽)에서 둘째에 ／ (앞, **뒤**)에서 다섯째에] 있습니다.

❷ [ ] 책상은 [(왼쪽, **오른쪽**)에서 둘째에 ／ (**앞**, 뒤)에서 넷째에] 있습니다.

❸ [ ] 책상은 [(**왼쪽**, 오른쪽)에서 첫째에 ／ (**앞**, 뒤)에서 둘째에] 있습니다.

---

2 택배 보관함에 물건이 도착했습니다. 위치에 맞게 물건 붙임딱지를 붙여 보세요.

정답과 풀이 3쪽

1 단원

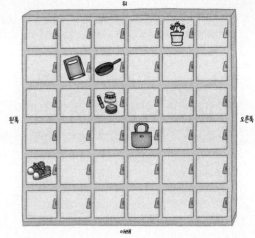

오른쪽에서 다섯째, 위에서 둘째　　　왼쪽에서 넷째, 아래에서 셋째　

오른쪽에서 둘째, 아래에서 여섯째　　　왼쪽에서 셋째, 아래에서 다섯째　

유형 **6**　　　성냥개비로 수 만들기　　창의 · 융합

정답과 풀이 3쪽

1 성냥개비로 수를 만든 후 성냥개비 1개를 옮기거나 더 사용하거나 빼서 다른 수를 만들려고 합니다. 물음에 답하세요.

보기
• 성냥개비로 5를 만든 후 성냥개비 1개를 옮겨서 3을 만들기

5 → 9 → 3

❶ 성냥개비로 만든 수 5에 성냥개비 1개를 더 사용하여 만들 수 있는 수를 붙임딱지를 이용하여 모두 만들어 보세요.

❷ 성냥개비로 만든 수 8에서 성냥개비 1개를 뺐을 때 만들 수 있는 수 중에서 8보다 작은 수를 붙임딱지를 이용하여 모두 만들어 보세요.

❖ 성냥개비로 만든 수 8에서 1개를 뺐을 때 만들 수 있는 수는 0, 6, 9입니다. 이 중에서 8보다 작은 수는 0, 6입니다.

---

2 보기와 같이 성냥개비 7개를 모두 사용하여 1과 2를 만들 수 있습니다. 성냥개비 6개를 모두 사용하여 수를 2가지 만들어 보세요.

보기

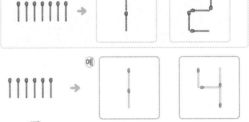

예

❖ 7을 ⎍ 모양으로 만들면 성냥개비 6개를 모두 사용하여 1과 7도 만들 수 있습니다.

3 성냥개비 12개를 모두 사용하여 수를 2가지 만들어 보세요.

예

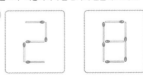

❖ 성냥개비 12개를 모두 사용하여 3과 8, 5와 8, 0과 6, 0과 9, 6과 9도 만들 수 있습니다.

유형 ⑦ 명령에 따라 움직이기 [코딩]

1 빨간 망토가 할머니 댁을 찾아가려고 합니다. 왼쪽 명령에 맞게 길을 따라 가면 할머니 댁을 찾아갈 수 있습니다. 다음을 보고 물음에 답하세요.
(단, 화살표 명령 하나에 한 칸씩만 갈 수 있습니다.)

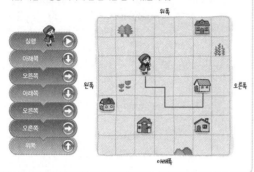

❶ 위의 명령에 따라 할머니 댁에 가는 길을 선으로 이어 보세요.

❷ 할머니 댁은 어디인지 ○표 하세요.

정답과 풀이 4쪽

2 원숭이가 자동차를 타고 조종 버튼을 눌러 집에 가려고 합니다. 원숭이가 집에 도착할 수 있도록 조종 버튼 붙임딱지를 세 가지 방법으로 붙여 보세요.
(단, 버튼을 한 번 누를 때마다 한 칸씩 움직입니다.)

방법 ①	➡ ⬇ ⬇
방법 ②	⬇ ⬇ ➡
방법 ③	⬇ ⬇ ⬇

3 펭귄이 잠수함을 타고 조종 버튼을 눌러 집에 가려고 합니다. 집에 가는 중간에 물고기를 먹고 가려고 할 때 조종 버튼 붙임딱지를 세 가지 방법으로 붙여 보세요.
(단, 버튼을 한 번 누를 때마다 한 칸씩 움직입니다.)

방법 ①	➡ ⬆ ⬆ ➡
방법 ②	⬆ ➡ ➡ ⬆
방법 ③	⬆ ➡ ⬆ ➡

❖ 이 세 가지 방법 외에도 ⬅ ⬆ ➡ ⬆로 가는 방법이 있습니다.

사고력 종합 평가

정답과 풀이 4쪽

1 그림을 보고 염소, 돼지, 닭의 수를 세어 빈 곳에 알맞은 수를 써넣으세요.

 5   4   🐔 6

❖ 염소는 다섯이므로 5입니다. 돼지는 넷이므로 4입니다.
닭은 여섯이므로 6입니다.

2 그림의 순서를 써 보세요.

넷째   셋째   첫째   다섯째   둘째

❖ 딸기가 열리는 과정은 씨앗 ➡ 새싹 ➡ 줄기 ➡ 꽃 ➡ 열매 순입니다.

3 구슬이 10개가 되려면 몇 개가 더 있어야 할까요?

(4개)

❖ 구슬을 세어 보면 6개이므로 10개가 되려면 4개가 더 있어야 합니다.

4 사탕은 7개보다 1개만큼 더 적게 있고, 초콜릿은 사탕보다 1개만큼 더 적게 있습니다. 초콜릿은 몇 개일까요?

(5개)

❖ 사탕은 7개보다 1개만큼 더 적게 있으므로 6개입니다.
초콜릿은 6개보다 1개만큼 더 적게 있으므로 5개입니다.

5 은지네 반 학생들의 사진입니다. 은지는 위에서 둘째, 왼쪽에서 둘째에 있는 친구와 놀이터에 갔습니다. 은지가 놀이터에 함께 간 친구의 이름을 써 보세요.

(영진)

❖ 위에서 둘째에 있는 친구는 지우, 영진, 나은, 준수이고 이 중에서 왼쪽에서 둘째에 있는 친구는 영진입니다.
따라서 은지가 놀이터에 함께 간 친구는 영진입니다.

6 2보다 크고 9보다 작은 수는 모두 몇 개일까요?

(6개)

❖ 1 2 ▲ 3 4 5 6 7 8 ▲ 9
   └─ 2보다 크고 9보다 작은 수 ─┘

➡ 2보다 크고 9보다 작은 수는 3, 4, 5, 6, 7, 8
이므로 모두 6개입니다.

정답과 풀이 5쪽

사고력 종합 평가

7 학생들이 점심 시간에 급식을 받기 위해 한 줄로 서 있습니다. 진선이는 앞에서 다섯째, 뒤에서 셋째에 서 있습니다. 줄을 선 학생은 모두 몇 명일까요?

(**7명**)

❖ ──────▶ (다섯째)

(앞) ○ ○ ○ ○ ● ○ ○ (뒤) ➡ 줄을 선 학생은 모두 7명입니다.

(셋째) ◀──────

8 성냥개비로 만든 수 6에 성냥개비 1개를 더 사용하여 만들 수 있는 수를 붙임 딱지를 이용하여 만들어 보세요.

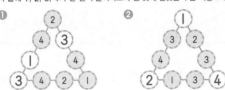

❖ 성냥개비로 만든 수 6에 성냥개비 1개를 더 사용하면 8을 만들 수 있습니다.

9 각 줄에 1, 2, 3, 4가 한 번씩 들어가도록 빈 곳에 알맞은 수를 써넣으세요.

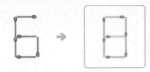

❶
- 오른쪽 줄에 1, 2, 4가 있으므로 빈 곳에 3이 들어가야 합니다.
- 아래 줄에 1, 2, 4가 있으므로 빈 곳에 3이 들어가야 합니다.
- 왼쪽 줄에 2, 3, 4가 있으므로 빈 곳에 1이 들어가야 합니다.

❷ 왼쪽 줄 빈 곳에 1, 2가 들어가야 하고, 오른쪽 줄 빈 곳에 1, 4가 들어가야 합니다.

1이 모두 들어가야 하므로 맨 위의 빈 곳에는 1이 들어가야 합니다.

따라서 왼쪽 줄 아래에는 2가 들어가고, 오른쪽 줄 아래에는 4가 들어가야 합니다.

10 풍선 가게에서 빨간색, 노란색, 초록색 풍선을 팔고 있습니다. 처음에 있던 풍선과 팔고 남은 풍선이 다음과 같을 때 가장 많이 팔린 풍선의 색깔을 써 보세요.

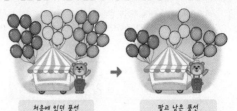

처음에 있던 풍선   팔고 남은 풍선

(**초록색**)

❖ 빨간색 풍선은 3개, 노란색 풍선은 2개, 초록색 풍선은 4개가 팔렸습니다. 따라서 가장 많이 팔린 풍선은 초록색 풍선입니다.

11 거북이가 어항에 도착할 수 있도록 1부터 10까지 수의 순서대로 선을 이어 보세요.

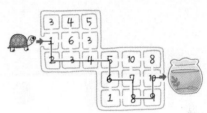

사고력 종합 평가

정답과 풀이 5쪽

12 다음을 만족하는 수를 모두 구해 보세요.

- 3과 8 사이에 있는 수입니다.
- 4보다 큰 수입니다.
- 7보다 작은 수입니다.

(**5, 6**)

❖ 3과 8 사이에 있는 수는 4, 5, 6, 7이고 이 중에서 4보다 크고 7보다 작은 수는 5, 6입니다.

13 카드의 수를 한 번씩 모두 사용하여 보기와 같이 계단의 위쪽으로 올라갈수록 점점 큰 수가 들어가게 하려고 합니다. 오른쪽 빈 곳에 알맞은 수를 써넣으세요.

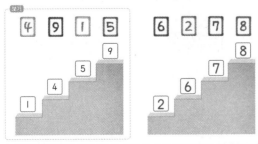

❖ 계단의 위쪽으로 올라갈수록 점점 큰 수가 들어가므로 아래쪽부터 작은 수를 차례로 써넣습니다.

➡ 6, 2, 7, 8을 작은 수부터 차례로 쓰면 2, 6, 7, 8입니다.

[GO! 매쓰]
여기까지 1단원 내용입니다.
다음부터는 2단원 내용이 시작합니다.

GO! 매쓰 Jump 정답

유형 ① 그림자 찾기 〔창의·융합〕

정답과 풀이 6쪽

1 다음과 같이 왼쪽 모양을 주어진 방향에서 손전등을 비추었을 때 생기는 그림자를 알아보려고 합니다. 주어진 방향에서 손전등을 비추었을 때 생기는 그림자를 그려 보세요.

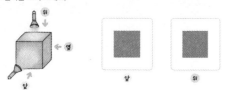

①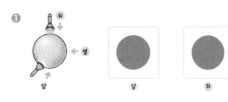

②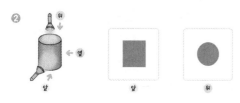

2 각 모양들이 들어갈 수 있는 문을 선으로 이어 보세요.

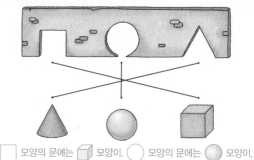

✦ □ 모양의 문에는 ⬜ 모양이, ◯ 모양의 문에는 ⚪ 모양이, △ 모양의 문에는 🔺 모양이 들어갈 수 있습니다.

3 주어진 모양을 위, 앞, 옆에서 빛을 비추었을 때 생기는 그림자가 될 수 없는 모양을 모두 찾아 ×표 하세요.

①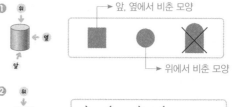
→ 앞, 옆에서 비춘 모양
→ 위에서 비춘 모양

②
위, 앞, 옆에서 비춘 모양 ◀

유형 ② 여러 가지 모양의 특징 〔의사소통〕

정답과 풀이 6쪽

1 준수네 반은 다섯 고개 놀이를 하고 있습니다. 다음을 보고 물음에 답하세요.

고개	질문	선생님 대답
①	둥근 부분이 있습니까?	예
②	뾰족한 부분이 있습니까?	아니요
③	잘 굴러갑니까?	예
④	평평한 부분이 있습니까?	예
⑤	쌓을 수 있습니까?	예

❶ 둥근 부분이 있어서 잘 굴러가는 모양을 모두 찾아 ◯표 하세요.

(,   )

✦ 🟦 모양을 눕히면 잘 굴러갑니다.

❷ 평평한 부분이 있어서 잘 쌓을 수 있는 모양을 모두 찾아 ◯표 하세요.

(   )

✦ 🟦 모양은 세워서 쌓을 수 있습니다.

❸ 다섯 고개 놀이에 대한 답으로 알맞은 모양에 ◯표 하세요.

(,   )

✦ 다섯 고개 질문의 답을 모두 만족하는 모양은 🟦 모양입니다.

2 설명에 알맞은 모양을 하나씩 찾아 ◯표 하세요.

❶ 어느 방향으로도 잘 굴러갑니다.
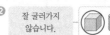

❷ 잘 굴러가지 않습니다.

✦ ❶ 어느 방향으로도 잘 굴러가는 것은 ⚪ 모양이고 배구공이 ⚪ 모양입니다.
❷ 잘 굴러가지 않는 것은 🟦 모양이고 상자가 🟦 모양입니다.

3 다음 상자 안에 있는 모양의 설명을 듣고 알맞은 모양에 ◯표 하세요.

❶ 평평한 부분이 6개 있어요.

(, 🟦. ⚪)

❷ 평평한 부분이 2개 있어요.

(🟦. ⚪)

✦ ❶ 평평한 부분이 6개 있는 모양은 🟦 모양입니다.
❷ 평평한 부분이 2개 있는 모양은 🟦 모양입니다.

정답과 풀이 7쪽

유형 ③ 부분으로 전체 모양 알아보기 〈추론〉

1 다음은 구멍이 뚫린 종이로 여러 가지 모양을 본 것입니다. 어떤 모양을 본 것인지 다음을 보고 물음에 답하세요.

❶ 위의 그림에서 구멍으로 보이는 부분을 다음 모양에서 찾아 ○표 하세요.

❷ 구멍이 뚫린 종이로 본 모양을 찾아 선으로 이어 보세요.

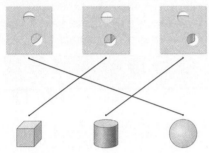

2 설명하는 모양을 찾아 이어 보세요.

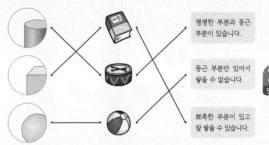

평평한 부분과 둥근 부분이 있습니다.

둥근 부분만 있어서 쌓을 수 없습니다.

뾰족한 부분이 있고 잘 쌓을 수 있습니다.

✧ 사전은 ☐ 모양, 작은북은 ⬭ 모양, 공은 ○ 모양입니다.

3 주어진 모양을 보고 같은 모양의 물건을 보기에서 찾아 기호를 써 보세요.

❶ ─ ㉠   ❷ ─ ㉢

✧ ❶ ☐ 모양의 일부이므로 ☐ 모양의 물건을 찾으면 ㉠입니다.

  ❷ ⬭ 모양의 일부이므로 ⬭ 모양의 물건을 찾으면 ㉢입니다.

정답과 풀이 7쪽

유형 ④ 여러 가지 모양 만들기 〈문제 해결〉

1 ☐, ⬭, ○ 모양으로 다음과 같은 모양을 만들었습니다. 가장 많이 이용한 모양과 가장 적게 이용한 모양을 알아보려고 합니다. 물음에 답하세요.

❶ 위의 모양을 만드는 데 ☐, ⬭, ○ 모양을 몇 개 이용했는지 세어 보세요.

모양	☐ 모양	⬭ 모양	○ 모양
개수(개)	6	8	4

❷ 위의 모양을 만드는 데 가장 많이 이용한 모양을 찾아 ○표 하세요.

(☐, **⬭**, ○)

✧ 6, 8, 4 중에서 가장 큰 수는 8이므로 ⬭ 모양을 가장 많이 이용했습니다.

❸ 위의 모양을 만드는 데 가장 적게 이용한 모양을 찾아 ○표 하세요.

(☐, ⬭, **○**)

2 보기의 모양을 모두 이용하여 만들 수 있는 모양을 찾아 기호를 써 보세요.

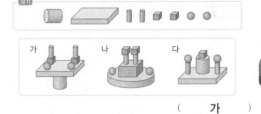

(**가**)

✧ 나는 ☐ 모양과 ⬭ 모양이 보기와 다른 것을 이용했고, 다는 ☐ 모양이 보기보다 l개 적으므로 보기의 모양을 모두 이용하여 만든 것은 가입니다.

3 왼쪽 모양 블록으로 오른쪽 모양을 만들었습니다. 이용하고 남는 블록을 모두 찾아 ○표 하세요.

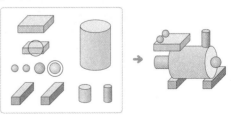

✧ 오른쪽 모양을 만드는 데 ☐ 모양 3개, ⬭ 모양 3개, ○ 모양 3개를 이용했습니다.

✧ 6, 8, 4 중에서 가장 작은 수는 4이므로 ○ 모양을 가장 적게 이용했습니다.

유형 ⑤ 모양의 규칙 찾기 〔추론〕

정답과 풀이 8쪽

1 모양의 규칙에 따라 물건을 놓고 있습니다. 다음을 보고 물음에 답하세요.

❶ 규칙을 찾아 ㉮의 빈칸에 알맞은 물건에 ○표 하세요.

( ) ( ) (○)

✦ 야구공과 선물 상자가 번갈아 가며 놓여 있으므로 선물 상자 다음은 야구공입니다.

❷ 규칙을 찾아 ㉯의 빈칸에 알맞은 물건에 ○표 하세요.

( ) (○) ( )

✦ 탬버린, 김밥, 과자 상자가 반복되고 있으므로 과자 상자 다음은 탬버린입니다.

❸ ㉮와 ㉯의 빈칸에 들어갈 물건의 모양이 아닌 것을 찾아 ○표 하세요.

(○) ( ) ( )

✦ ㉮의 빈칸에는 야구공이 들어가므로 ◯ 모양이고, ㉯의 빈칸에는 탬버린이 들어가므로 ⬭ 모양입니다.
따라서 빈칸에 들어갈 물건의 모양이 아닌 것은 ⬜ 모양입니다.

2 다음과 같은 규칙으로 모양을 놓았습니다. 반복되는 부분을 찾아 점선 위에 선을 그어 나누어 보고, 빈칸에 들어갈 모양에 ○표 하세요.

①
(○ , ⬭ , ◯)

②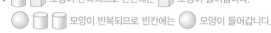
(⬜ , ⬭ , ◯)

✦ ⬭ ⬜ 모양이 반복되므로 빈칸에는 ⬜ 모양이 들어갑니다.

◯ ⬜ ⬭ 모양이 반복되므로 빈칸에는 ◯ 모양이 들어갑니다.

3 다음과 같은 규칙으로 ⬜, ⬭, ◯ 모양을 놓으려고 합니다. 10번째에는 어떤 모양이 놓이는지 알맞은 모양에 ○표 하세요.

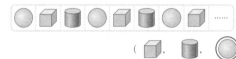

(⬜ , ⬭ , ◯)

✦
9번째 10번째

2. 여러 가지 모양 · 35

유형 ⑥ 규칙에 따라 길 찾기 〔코딩〕

정답과 풀이 8쪽

1 〔보기〕와 같이 규칙에 따라 출발에서 도착까지 모든 칸을 한 번씩만 지나가도록 하려고 합니다. 다음을 보고 물음에 답하세요.

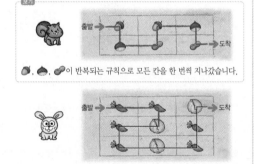

🌰, 🌰, 🥜이 반복되는 규칙으로 모든 칸을 한 번씩 지나갔습니다.

❶ 토끼가 규칙에 따라 출발에서 도착까지 🥕과 ⏰가 있는 모든 길을 지나가려고 할 때 반복되는 부분으로 알맞은 것에 ○표 하세요.

🥕🥕⏰ 🥕⏰🥕
(○) ( )

✦ 당근, 당근, 양배추 순으로 반복되도록 길을 따라가면 모든 길을 지나 도착할 수 있습니다.

❷ 위의 그림에 토끼가 반복되는 규칙에 따라 모든 칸을 한 번씩만 지나도록 선을 그어 보세요.

36 · Jump 1-1

2 주어진 모양의 순서대로 출발에서 도착까지 위, 아래 또는 왼쪽, 오른쪽으로 선을 그어 보세요. (단, 한 번 지나간 칸은 다시 지나갈 수 없습니다.)

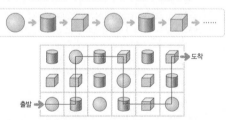

3 ⬜ ➞ ⬭ ➞ ◯ 모양의 순서대로 출발에서 도착까지 빈칸에 붙임딱지를 붙여 모두 채워 보세요. 그리고 ⬭ 모양은 모두 몇 개가 되는지 구해 보세요.

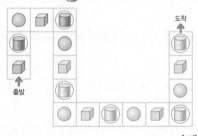

(6개)

✦ ⬜, ⬭, ◯ 모양이 반복되도록 빈칸에 붙임딱지를 붙여 봅니다.

➡ ⬭ 모양은 모두 6개입니다.

2. 여러 가지 모양 · 37

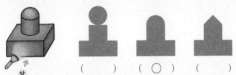

사고력 종합 평가

정답과 풀이 9쪽

1 왼쪽 모양을 앞에서 손전등으로 비추었을 때 생기는 그림자로 알맞은 것에 ◯표 하세요.

( ) (◯) ( )

✿ 왼쪽 모양의 가장 윗부분에 ⬤ 모양을 반으로 자른 모양이 놓여 있으므로 그림자로 알맞은 것은 가운데 그림자입니다.

2 돼지가 집을 지으려고 합니다. 집을 지을 때 사용할 모양을 찾아 ◯표 하세요.

쌓을 수 있지만 뾰족한 부분이 없는 모양을 사용할 거야.

✿ 쌓을 수 있는 모양은 평평한 부분이 있는 ⬜ 모양과 🔵 모양입니다.
이 중에서 뾰족한 부분이 없는 모양은 🔵 모양입니다.

3 다음과 같은 규칙으로 모양을 놓았습니다. 반복되는 규칙을 찾아 점선 위에 선을 그어 보세요.

✿ ⬜, ⬤, ⬜ 모양이 반복되는 규칙으로 놓았습니다.

---

4 알맞은 모양을 찾아 이어 보세요.

모든 부분이 둥글어서 쌓기가 힘들어. 평평한 부분이 2개 있고 둥근 부분이 있어. 평평한 부분만 있어서 잘 굴러가지 않아.

✿ 둥근 부분만 있는 것은 🔵 모양, 평평한 부분과 둥근 부분이 있는 것은 🔵 모양, 평평한 부분만 있는 것은 ⬜ 모양입니다.

5 다음은 정우가 만든 모양입니다. 정우가 이용하지 않은 모양에 ◯표 하세요.

(⬜ , 🔵 , ⬤)

✿ ⬜ 모양과 🔵 모양을 이용해서 만들었습니다.

6 그림과 같이 기울어진 나무판에 모양을 올려놓았을 때 잘 굴러가지 않는 모양에 ◯표 하세요.

나무판

( ) (◯) ( )

✿ ⬜ 모양은 평평한 부분으로만 되어 있으므로 잘 굴러가지 않습니다.

사고력 종합 평가

✿ 음료수 캔은 🔵 모양, 주사위는 ⬜ 모양, 테니스공은 ⬤ 모양입니다. 🔵, ⬜, ⬤
모양의 순서대로 반복되는 규칙이므로 빈칸에 들어갈 물건의 모양은 ⬤ 모양 다음인 🔵 모양입니다.

정답과 풀이 9쪽

7 규칙에 따라 물건을 놓았습니다. 빈칸에 들어갈 물건의 모양을 찾아 ◯표 하세요.

(⬜ , 🔵 , ⬤)

8 설명에 알맞은 모양을 하나씩 찾아 ◯표 하세요.

한 방향으로 잘 굴러갑니다.

✿ 한 방향으로 잘 굴러가는 모양은 🔵 모양입니다.

9 왼쪽 모양을 위와 앞에서 본 모양으로 알맞은 것을 찾아 이어 보세요.

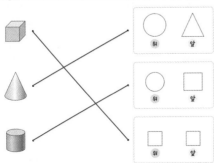

◯ △
위 앞

◯ ⬜
위 앞

⬜ ⬜
위 앞

---

10 왼쪽과 같은 모양의 물건은 모두 몇 개인지 구해 보세요.

 →

(**2개**)

✿ 왼쪽에 보이는 모양은 ⬤ 모양입니다.
⬤ 모양은 축구공, 농구공으로 모두 2개입니다.

11 다음 모양을 만드는 데 이용한 ⬜, 🔵, ⬤ 모양은 각각 몇 개일까요?

⬜ 모양 (**6개**)

🔵 모양 (**9개**)

⬤ 모양 (**3개**)

12 퍼즐 조각을 맞추어 ⬜ 모양을 완성하려고 합니다. 빈칸에 들어갈 퍼즐 조각에 ◯표 하세요.

( ) (◯) ( )

✿ ⬜ 모양의 오른쪽 아래 부분의 모양을 찾아 ◯표 합니다.

42쪽

사고력 종합 평가

정답과 풀이 10쪽

13 주어진 모양의 순서대로 출발에서 도착까지 위, 아래 또는 왼쪽, 오른쪽으로 모든 칸을 한 번씩만 지나가도록 선을 그어 보세요.

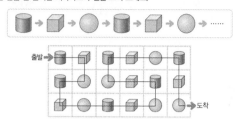

❖ ▢, ▢, ◯ 모양의 순서대로 모든 칸을 한 번씩 지나가도록 선을 그어 봅니다.

14 주어진 모양으로 만들 수 없는 모양을 찾아 기호를 써 보세요.

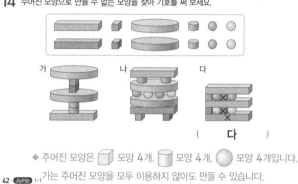

(**다**)

❖ 주어진 모양은 ▢ 모양 4개, ▢ 모양 4개, ◯ 모양 4개입니다.

42 · Jump 1-1

가는 주어진 모양을 모두 이용하지 않아도 만들 수 있습니다.
나는 주어진 모양을 모두 이용하여 만들 수 있습니다.
다는 ▢ 모양이 주어진 모양보다 더 많아야 하므로 만들 수 없습니다.

[GO! 매쓰]
여기까지 2단원 내용입니다.
다음부터는 3단원 내용이
시작합니다.

44쪽 ~ 45쪽

유형 **①**   **수 연결하기**   추론

정답과 풀이 10쪽

1 합이 9가 되도록 두 수를 연결하려고 합니다. 다음을 보고 물음에 답하세요.

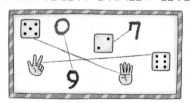

❶ 다음이 나타내는 수는 얼마인지 □ 안에 알맞은 수를 써넣으세요.

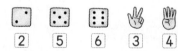

2   5   6   3   4

❷ 두 수의 합이 9가 되는 덧셈식을 완성하여 보세요.

$0+\boxed{9}=9$ $1+\boxed{8}=9$ $\boxed{2}+7=9$
$\boxed{3}+6=9$ $\boxed{4}+5=9$

❸ 위의 그림에 합이 9가 되도록 두 수를 연결해 보세요.

44 · Jump 1-1

2 합이 9가 되도록 두 수를 연결해 보세요.

합이 9

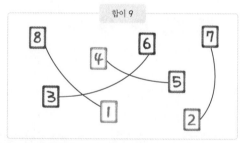

❖ $8+1=9$, $4+5=9$, $3+6=9$, $7+2=9$

3 합에 맞게 두 수를 연결해 보세요.

❶ 합이 7   ❷ 합이 8

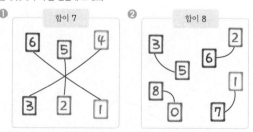

❖ ❶ $6+1=7$, $5+2=7$, $4+3=7$
   ❷ $3+5=8$, $6+2=8$, $8+0=8$, $1+7=8$

3. 덧셈과 뺄셈 · 45

유형 2 가르기와 모으기 　문제 해결

정답과 풀이 11쪽

1 가르기와 모으기를 이용하여 ㈀과 ㈁에 알맞은 수의 합을 구하려고 합니다. 물음에 답하세요.

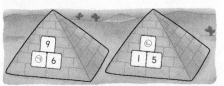

❶ ㈀에 알맞은 수는 얼마일까요?

(　3　)

❖ 9는 3과 6으로 가르기 할 수 있으므로 ㈀은 3입니다.

❷ ㈁에 알맞은 수는 얼마일까요?

(　6　)

❖ ㈁은 1과 5로 가르기 한 것이므로 1과 5를 모으면 ㈁은 6입니다.

❸ ㈀과 ㈁에 알맞은 수의 합은 얼마일까요?

(　9　)

❖ ㈀+㈁=3+6=9

46 · Jump 1-1

---

2 다음 수를 가르기 해 보세요.

❶ (예)

❷ (예)

❖ ❶ 9를 가르기 하면 (1, 8), (2, 7), (3, 6), (4, 5), (5, 4), (6, 3), (7, 2), (8, 1)입니다.
　 ❷ 7을 가르기 하면 (1, 6), (2, 5), (3, 4), (4, 3), (5, 2), (6, 1)입니다.

3 ㈀에 알맞은 수를 구해 보세요.

❶

(　8　)

❷

(　3　)

❖ ❶ · ㈄은 2와 2로 가르기 한 것이므로 2와 2를 모으기 하면 ㈄=4입니다.
　　· ㈁은 4와 0으로 가르기 한 것이므로 4와 0을 모으기 하면 ㈁=4입니다.
　　· ㈀은 4와 4로 가르기 한 것이므로 4와 4를 모으기 하면 ㈀=8입니다.
　 ❷ · 1과 ㈄을 모으기 하여 9가 되었으므로 ㈄=8입니다.
　　· ㈁과 4를 모으기 하여 8이 되었으므로 ㈁=4입니다.
　　· ㈀과 1을 모으기 하여 4가 되었으므로 ㈀=3입니다.

3. 덧셈과 뺄셈 · 47

유형 3 나누어 먹기 　창의 · 융합

정답과 풀이 11쪽

1 호두파이와 피자가 있습니다. 호두파이와 피자를 혜진이와 석호가 똑같이 나누어 먹으려고 합니다. 물음에 답하세요.

　호두파이　　　피자

❶ 혜진이와 석호가 먹어야 하는 양만큼 색칠해 보세요.

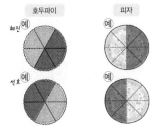

❖ 호두파이는 6조각이므로 6을 똑같은 수로 가르기 하면 3과 3입니다.
　피자는 8조각이므로 8을 똑같은 수로 가르기 하면 4와 4입니다.

❷ 혜진이와 석호는 각각 호두파이와 피자를 몇 조각씩 먹으면 될까요?

호두파이 (　3조각　),　피자 (　4조각　)

❖ · 6을 똑같은 두 수로 가르기 한 것은 3과 3이므로 호두파이는 한 사람이 3조각씩 먹으면 됩니다.
48 · Jump 1-1
　· 8을 똑같은 두 수로 가르기 한 것은 4와 4이므로 피자는 한 사람이 4개씩 먹으면 됩니다.

---

2 주어진 수만큼 차이가 나도록 참외를 묶어 보세요.

❶ (예) 1개 차이

❷ (예) 2개 차이

❖ ❶ 7은 (1, 6), (2, 5), (3, 4), (4, 3), (5, 2), (6, 1)로 가르기 할 수 있습니다.
　　이 중에서 차이가 1개 나는 경우는 (3, 4), (4, 3)이므로 3개와 4개로 묶습니다.
　 ❷ 8은 (1, 7), (2, 6), (3, 5), (4, 4), (5, 3), (6, 2), (7, 1)로 가르기 할 수 있습니다.
　　이 중에서 차이가 2개 나는 경우는 (3, 5), (5, 3)이므로 3개와 5개로 묶습니다.

3 사탕 5개를 가은이와 채민이가 나누어 가지려고 합니다. 가은이가 채민이보다 사탕을 더 많이 가지게 되는 경우는 모두 몇 가지일까요? (단, 한 사람이 적어도 사탕을 한 개씩은 가집니다.)

가은이가 가지는 사탕 수(개)	1	2	3	4
채민이가 가지는 사탕 수(개)	4	3	2	1

(　2가지　)

❖ 5는 (1, 4), (2, 3), (3, 2), (4, 1)로 가르기 할 수 있습니다. 이 중에서 가은이가 채민이보다 사탕을 더 많이 가지게 되는 경우는 (가은, 채민) ➡ (3, 2), (4, 1)로 모두 2가지입니다.

3. 덧셈과 뺄셈 · 49

---

3 단원

정답과 풀이 12쪽

유형 ④ 규칙을 찾아 덧셈과 뺄셈하기 [추론]

1 다음과 같이 어떤 수를 넣으면 넣은 수보다 얼마만큼 더 큰 수가 깨진 곳으로 나오는 요술항아리가 있습니다. ⑤와 ⑦을 요술항아리에 넣으면 어떤 수가 나오는지 구하려고 합니다. 물음에 답하세요.

❶ 요술항아리에서 나오는 수는 넣은 수보다 얼마만큼 큰 수일까요?

(2)

❖ ① ➡ ③, ② ➡ ④, ③ ➡ ⑤, ④ ➡ ⑥이므로
나오는 수는 넣은 수보다 2만큼 더 큰 수입니다.

❷ 요술항아리에 다음과 같은 수를 넣으면 어떤 수가 나오는지 ○ 안에 알맞은 수를 써넣으세요.

❖ 2만큼 큰 수가 나오므로 5를 넣으면 5+2=7이 나오고,
7을 넣으면 7+2=9가 나옵니다.

50 · Jump 1-1

2 다음과 같이 어떤 수를 넣으면 넣은 수보다 얼마만큼 작은 수가 나오는 요술상자가 있습니다. 다음을 보고 주어진 수를 넣으면 어떤 수가 나오는지 ○ 안에 알맞은 수를 써넣으세요.

❖ ③ ➡ ①, ④ ➡ ②, ⑧ ➡ ⑥이므로 나오는 수는 넣은 수보다 2만큼 더 작은 수입니다.

❶ 6을 넣으면 6-2=4가 나옵니다.

❷ 9를 넣으면 9-2=7이 나옵니다.

3 화살표 색깔의 규칙은 다음과 같습니다. 규칙을 보고 빈 곳에 알맞은 수를 써넣으세요.

> 규칙
> ➡ : 2만큼 작아집니다.   ➡ : 3만큼 커집니다.

❶ ③ ➡ 6 ➡ 4

❷ ⑤ ➡ 3 ➡ 6

❖ 2만큼 작아질 때에는 -2를, 3만큼 커질 때에는 +3을 합니다.

❶ □+3=6 ➡ □=3, 6-2=4

❷ □-2=3 ➡ □=5, 3+3=6

3. 덧셈과 뺄셈 · 51

유형 ⑤ 덧셈식과 뺄셈식 만들기 [창의·융합]

정답과 풀이 12쪽

1 주어진 세 수를 이용하여 덧셈과 뺄셈을 왼쪽과 같이 만들 수 있습니다. 이를 팩트 패밀리(fact family)라고 합니다. 세 수를 이용하여 오른쪽에 덧셈식과 뺄셈식을 만들어 보고 물음에 답하세요.

2+3=5
3+2=5
5-2=3
5-3=2

2+6=8
6+2=8
8-6=2
8-2=6

❶ 덧셈식을 보고 뺄셈식을 만들어 보세요.

5+2=7 ➡ 7-2=5
7-5=2

❷ 뺄셈식을 보고 덧셈식을 만들어 보세요.

9-4=5 ➡ 5+4=9
4+5=9

52 · Jump 1-1

2 주어진 수를 이용하여 덧셈식과 뺄셈식을 만들어 보세요.

덧셈식
5+1=6
1+5=6

뺄셈식
6-1=5
6-5=1

❖ 세 수 중 작은 두 수를 더해서 가장 큰 수가 되는 덧셈식을 2개 만듭니다.
세 수 중 가장 큰 수에서 작은 두 수를 각각 빼면 나머지 수가 되는 뺄셈식을 만듭니다.

3 4장의 수 카드 중에서 3장을 골라 덧셈식과 뺄셈식을 만들어 보세요.

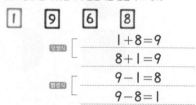

덧셈식
1+8=9
8+1=9

뺄셈식
9-1=8
9-8=1

❖ 수 카드의 수 중 6과 더했을 때 다른 수가 나오거나 두 수를 더해 6이 나오는 경우가 없으므로 6을 고르면 식을 만들 수 없습니다.

3. 덧셈과 뺄셈 · 53

유형 6 다양한 덧셈과 뺄셈 · 문제 해결

1 가로, 세로 방향으로 덧셈식과 뺄셈식이 성립하도록 다음 식을 완성하려고 합니다. 물음에 답하세요.

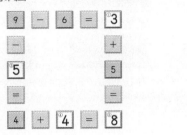

❶ ⑦에 알맞은 수는 얼마일까요? (3)

❖ 9−6=3이므로 ⑦에 알맞은 수는 3입니다.

❷ ②에 알맞은 수는 얼마일까요? (8)

❖ 3+5=8이므로 ②에 알맞은 수는 8입니다.

❸ ③에 알맞은 수는 얼마일까요? (5)

❖ 9−□=4 ➡ □=5이므로 ③에 알맞은 수는 5입니다.

❹ ④에 알맞은 수는 얼마일까요? (4)

❖ 4+□=8 ➡ □=4이므로 ④에 알맞은 수는 4입니다.

2 규칙에 따라 빈칸에 알맞은 수를 써넣으세요.

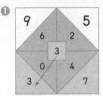 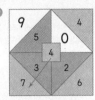

❖ 가장 안쪽에 있는 수와 중간에 있는 수를 더하여 바깥쪽에 쓰는 규칙입니다.

❶ 3+6=9, 3+2=5

❷ 4+5=9, 4+□=4 ➡ □=0

3 규칙을 찾아 □ 안에 알맞은 수를 써넣으세요.

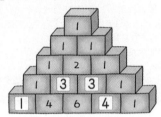

❖ ❶ 8과 1로 덧셈식을 만들면 8+1=9, 뺄셈식을 만들면 8−1=7입니다.
4와 3으로 덧셈식을 만들면 4+3=7, 뺄셈식을 만들면 4−3=1입니다.
8−1=7, 4+3=7이 계산한 값이 같으므로
왼쪽 항아리에는 −를, 오른쪽 항아리에는 +를 써넣습니다.

유형 7 양쪽의 값을 같게 만들기 · 창의 · 융합

1 ○ 안에 +, −를 써넣어 양쪽의 값을 같게 만들려고 합니다. 다음을 보고 물음에 답하세요.

❶ 6과 2로 덧셈식과 뺄셈식을 각각 만들어 보세요.

덧셈식 6+2=8
뺄셈식 6−2=4

❖ 6과 2로 만들 수 있는 덧셈식은 6+2=8입니다.
6과 2로 만들 수 있는 뺄셈식은 6−2=4입니다.

❷ 3과 1로 덧셈식과 뺄셈식을 각각 만들어 보세요.

덧셈식 3+1=4
뺄셈식 3−1=2

❖ 3과 1로 만들 수 있는 덧셈식은 3+1=4입니다.
3과 1로 만들 수 있는 뺄셈식은 3−1=2입니다.

❸ 계산한 값이 같은 두 식을 각각 써 보세요.

(6−2=4, 3+1=4)

❖ 같은 값이 나올 두 식은 6−2=4, 3+1=4입니다.

❹ 위 그림에서 양쪽의 값이 같게 ○ 안에 +, −를 알맞게 써넣으세요.

2 그림과 같은 항아리가 있습니다. 두 항아리의 값이 같아지도록 항아리의 ○ 안에 +, −를 알맞게 써넣으세요.

❷ 5와 1로 덧셈식을 만들면 5+1=6, 뺄셈식을 만들면 5−1=4입니다.
7과 1로 덧셈식을 만들면 7+1=8, 뺄셈식을 만들면 7−1=6입니다.
5+1=6, 7−1=6이 계산한 값이 같으므로 왼쪽 항아리에는 +를, 오른쪽 항아리에는 −를 써넣습니다.

3 다음 저울은 양쪽의 무게가 같아야 기울어지지 않습니다. 무게가 같아지도록 할 때 필요하지 않은 추에 ×표 하세요. (단, 추에 쓰여 있는 수는 추의 무게를 나타냅니다.)

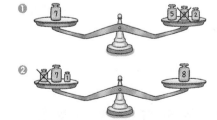

❖ ❶ 5+3=8, 5+2=7, 3+2=5이므로 5와 2로 7을 만들 수 있습니다. 따라서 필요하지 않은 수는 3입니다.
❷ 2+7=9, 2+1=3, 7+1=8이므로 7과 1로 8을 만들 수 있습니다. 따라서 필요하지 않은 수는 2입니다.

유형 8 명령어에 따라 움직이기 코딩

1 로봇이 왼쪽 명령어에 따라 길을 찾아가면서 길에 있는 구슬을 주워 가려고 합니다. 로봇이 주워 간 구슬은 모두 몇 개인지 구하려고 합니다. 물음에 답하세요.

① 로봇이 명령어에 따라 가게 되는 길을 오른쪽 그림에 선으로 그어 완성해 보세요.

✤ 빨간색 선은 앞으로 2칸까지 간 상태입니다. 로봇이 오른쪽으로 돈 다음 앞으로 3칸을 가고, 다시 왼쪽으로 돈 다음 앞으로 1칸을 가면 도착을 합니다.

② 로봇이 명령어에 따라 길을 찾아가면서 주워 간 구슬의 수를 구하는 식을 써 보세요.

식 $3+4=7$

✤ 로봇이 길을 따라 가면 주워 간 구슬은 3개와 4개입니다.

③ 로봇이 명령어에 따라 길을 찾아가면서 주워 간 구슬은 모두 몇 개일까요?
(**7개**)

2 개구리가 집을 찾아가려고 합니다. 가는 길에 있는 두 수의 합이 집에 있는 수와 같아지도록 명령어를 완성하고, 집까지 가는 길을 선으로 그어 보세요.

✤ 2를 지나갔으므로 6을 지나야 $2+6=8$에서 집에 있는 수 8과 같습니다.

3 고양이가 생선을 찾아 가려고 합니다. 명령어에 따라 가는 길에 있는 두 수의 합을 구해야 생선을 먹을 수 있습니다. 식을 쓰고 답을 구해 보세요.

식 $5+3=8$
답 8

사고력 종합 평가

1 두 그림의 수를 모아서 6이 되는 것끼리 이어 보세요.

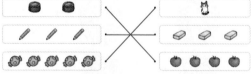

✤ · 2와 4를 모으기 하면 6이 됩니다. · 3과 3을 모으기 하면 6이 됩니다.
· 5와 1을 모으기 하면 6이 됩니다.

2 그림에 알맞은 문제를 완성하고, 식을 쓰고 답을 구해 보세요.

소가 **2** 마리, 돼지가 **7** 마리 있습니다. 소와 돼지는 모두 몇 마리일까요?

식 $2+7=9$
답 9마리

✤ 소: 2마리, 돼지: 7마리 ➡ 소와 돼지는 모두 $2+7=9$(마리)입니다.

3 주어진 수만큼 차이가 나도록 초콜릿을 묶어 보세요.

예 | 1개 차이

✤ 초콜릿은 모두 9개입니다.
9는 (1, 8), (2, 7), (3, 6), (4, 5), (5, 4), (6, 3), (7, 2), (8, 1)로 가르기 할 수 있습니다.
이 중에서 차이가 1개 나는 경우는 (4, 5), (5, 4)이므로 4개와 5개로 묶습니다.

4 다음 수를 가르기 해 보세요.

8	1	2	3	4	5	6	7
	7	6	5	4	3	2	1

✤ 8을 가르기 하면 (1, 7), (2, 6), (3, 5), (4, 4), (5, 3), (6, 2), (7, 1)입니다.

5 가르기를 하여 빈 곳에 알맞은 수를 써넣으세요.

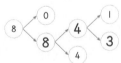

✤ · 8은 0과 8로 가르기 할 수 있습니다.
· 8은 4와 4로 가르기 할 수 있습니다.
· 4는 1과 3으로 가르기 할 수 있습니다.

6 가로, 세로 방향으로 덧셈식과 뺄셈식이 성립하도록 빈 곳에 알맞은 수를 써넣으세요.

✤ ① $8-\square=5$ ➡ $8-5=\square$, $\square=3$
② $8-\square=2$ ➡ $8-2=\square$, $\square=6$
③ $2+\square=6$ ➡ $6-2=\square$, $\square=4$
④ $5+\square=6$ ➡ $6-5=\square$, $\square=1$

사고력 종합 평가

7 양쪽의 값이 같아지도록 주머니의 ○ 안에 +, −를 알맞게 써넣으세요.

❖ 6과 3으로 덧셈식을 만들면 6+3=9, 뺄셈식을 만들면 6−3=3입니다.
2와 1로 덧셈식을 만들면 2+1=3, 뺄셈식을 만들면 2−1=1입니다.
6−3=3, 2+1=3이 계산한 값이 같으므로 왼쪽에는 −를, 오른쪽에는 +를 써넣습니다.

8 사탕 4개를 혜미와 슬기가 똑같이 나누어 먹으려고 합니다. 한 사람이 몇 개씩 가지면 될까요?

(**2개**)

❖ 4를 가르기 하면 (1, 3), (2, 2), (3, 1)입니다.
이 중에서 똑같은 두 수로 가르기 한 것은 (2, 2)이므로 한 사람이 2개씩 가지면 됩니다.

9 어떤 수를 넣으면 넣은 수보다 얼마만큼 더 큰 수가 나오는 요술항아리가 있습니다. 다음을 보고 주어진 수를 넣으면 어떤 수가 나오는지 ○ 안에 알맞은 수를 써넣으세요.

❖ 2 ➡ 5, 3 ➡ 6, 5 ➡ 8이므로 나오는 수는 넣은 수보다 3만큼 더 큽니다.
❶ 1을 넣으면 1+3=4가 나옵니다.
❷ 6을 넣으면 6+3=9가 나옵니다.

10 세 수를 모두 이용하여 덧셈식과 뺄셈식을 만들어 보세요.

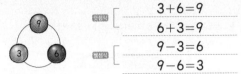

덧셈식 [3+6=9
6+3=9]

뺄셈식 [9−3=6
9−6=3]

❖ 세 수 중 작은 두 수를 더해서 가장 큰 수가 되도록 덧셈식을 만듭니다.
세 수 중 가장 큰 수에서 작은 두 수를 각각 빼면 나머지 수가 되는 뺄셈식을 만듭니다.

11 마주 보고 있는 두 수의 합이 같게 빈 곳에 알맞은 수를 써넣으세요.

❖ 7+1=8이므로 합이 8이 되는 두 수를 찾아 빈 곳에 써넣습니다.
3+□=8 ➡ □=5, □+2=8 ➡ □=6

12 화살표 색깔의 규칙은 다음과 같습니다. 규칙을 보고 빈 곳에 알맞은 수를 써넣으세요.

규칙 ➡ : 1만큼 작아집니다.   ➡ : 2만큼 커집니다.

❖ 1만큼 작아질 때에는 −1을, 2만큼 커질 때에는 +2를 합니다.
❶ □+2=6 ➡ □=4, 6−1=5
❷ □−1=2, □=3, 2+2=4

사고력 종합 평가

13 꿀떡 8개를 지우와 동생이 나누어 먹으려고 합니다. 지우가 동생보다 4개 더 많이 먹으려면 지우는 꿀떡을 몇 개 먹으면 될까요?

(**6개**)

❖ 8을 가르기 하면 (1, 7), (2, 6), (3, 5), (4, 4), (5, 3), (6, 2), (7, 1)입니다.
이 중에서 차이가 4개 나는 경우는 (2, 6), (6, 2)이므로 지우가 동생보다 4개 더 많이 먹으려면 지우는 꿀떡을 6개 먹으면 됩니다.

14 다음은 각 모양이 나타내는 수이고, 겹쳐진 부분은 두 모양의 수의 합을 나타냅니다. 주어진 모양에서 겹쳐진 부분의 수를 나타내는 식을 써 보세요.

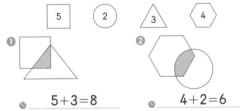

❶ 5+3=8   ❷ 4+2=6

❖ ❶ 5와 3이 겹쳐진 것이므로 5+3=8입니다.
❷ 4와 2가 겹쳐진 것이므로 4+2=6입니다.

15 민우와 승기가 2개의 주사위를 각각 한 번씩 던졌습니다. 두 사람이 던진 두 주사위 눈의 수의 합이 같아지도록 빈 곳에 눈을 그려 보세요. (단, 던졌을 때 나온 눈의 수가 민우와 승기는 서로 다릅니다.)

❖ 민우가 던진 두 주사위의 눈의 수의 합이 3+2=5이므로 승기가 던진 주사위 눈의 수의 합도 5가 되어야 합니다.

따라서 눈의 수의 합이 5가 되는 경우는 4+1이므로 점 4개와 1개 또는 점 1개와 4개를 그립니다.

[GO! 매쓰]
여기까지 3단원 내용입니다.
다음부터는 4단원 내용이 시작합니다.

유형 ① 칸으로 길이 비교하기 ·문제 해결·

1 연필과 지우개의 길이를 비교하려고 합니다. 물음에 답하세요.

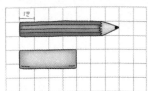

❶ 연필의 길이는 몇 칸일까요?

(**7칸**)

✦ 연필의 길이를 칸 수로 세어 보면 7칸입니다.

❷ 지우개의 길이는 몇 칸일까요?

(**4칸**)

✦ 지우개의 길이를 칸 수로 세어 보면 4칸입니다.

❸ 연필과 지우개 중에서 어느 것이 더 길까요?

(**연필**)

✦ 연필의 길이는 7칸, 지우개의 길이는 4칸이므로 연필이 더 깁니다.

2 길이가 긴 것부터 순서대로 기호를 쓰세요.

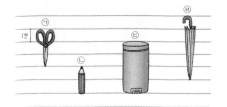

(㉣, ㉢, ㉠, ㉡)

✦ ㉠ 3칸, ㉡ 2칸, ㉢ 4칸, ㉣ 5칸이므로 ㉣, ㉢, ㉠, ㉡의 순서로 길이가 깁니다.

3 보기 의 선보다 더 긴 선을 오른쪽에 그어 보세요.

보기

예

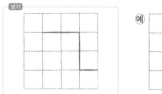

✦ 보기 의 선의 길이는 5칸입니다. 따라서 5칸보다 선을 더 길게 그으면 됩니다.

4단원

유형 ② 높이와 키 비교하기 ·추론·

1 토끼 4마리가 언덕에 올라갔습니다. 언덕의 높이를 비교하려고 할 때, 다음을 보고 물음에 답하세요.

❶ 가장 높은 언덕에 올라간 토끼에 ◯표 하세요.

(◯) ( ) ( ) ( )

✦ 가장 많이 위로 올라가 있는 회색 점박이 토끼가 가장 높은 언덕에 올라갔습니다.

❷ 가장 낮은 언덕에 올라간 토끼에 △표 하세요.

( ) ( ) ( ) (△)

✦ 가장 적게 올라가 있는 갈색 토끼가 가장 낮은 언덕에 올라갔습니다.

❸ 높은 언덕에 올라간 순서대로 1, 2, 3, 4를 써넣으세요.

| 1 | 3 | 2 | 4 |

✦ 위로 많이 올라가 있는 토끼부터 번호를 씁니다.

2 100 m 달리기를 해서 1등, 2등, 3등이 정해졌습니다. 이 중 키가 큰 학생부터 순서대로 이름을 써 보세요.

(영주, 보미, 민철)

✦ 머리끝의 높이가 같으므로 가장 낮은 곳에 올라가 있는 영주가 가장 크고, 가장 높은 곳에 올라가 있는 민철이가 가장 작습니다.

3 혜미네 반 학생들이 철봉 매달리기를 합니다. 키가 작은 순서대로 선다면 둘째에 서는 사람은 누구인지 써 보세요.

(종우)

✦ 키가 작은 사람부터 쓰면 혜미-종우-채민-민재입니다. 따라서 둘째에 서는 사람은 종우입니다.

4단원

정답과 풀이 17쪽

유형 ③ 거리 비교하기

추론

1 다음은 민희네 마을 지도입니다. 분식집은 어느 곳인지 알아보려고 합니다. 물음에 답하세요.

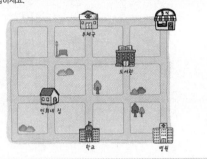

❶ 민희네 집에서 가장 가까운 곳은 어디일까요?

(**학교**)

✤ 민희네 집에서 길을 따라 2칸 떨어진 곳에 학교가 있으므로 가장 가까운 곳은 학교입니다.

❷ 도서관과 같은 거리만큼 떨어져 있는 곳은 어디일까요?

✤ 민희네 집에서 길을 따라 3칸 떨어진 곳에 도서관이 (**우체국**) 있습니다.

민희네 집에서 우체국은 3칸, 병원은 4칸, 학교는 2칸 떨어진 곳에 있으므로 도서관과 같은 거리만큼 떨어져 있는 곳은 우체국입니다.

❸ 민희네 집에서 가장 멀리 떨어진 곳에 분식집이 있습니다. 어느 곳에 있는지 분식집 붙임딱지를 붙여 보세요.

✤ 민희네 집에서 5칸 떨어진 곳이 가장 멀리 떨어진 곳입니다.

70 · Jump 1-1

2 정아 앞에 빨간색, 노란색, 초록색 깃발이 꽂혀 있습니다. 정아가 서 있는 곳에서 가장 가까운 곳에 꽂혀 있는 깃발은 무슨 색일까요?

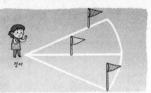

(**노란색**)

✤ 노란색, 빨간색, 초록색 순서로 가까이 있습니다.

3 두더지 삼형제가 땅속에서 다음과 같은 방에 살고 있습니다. 첫째, 둘째, 셋째 중 땅 위에서 방이 가장 먼 두더지는 누구일까요?

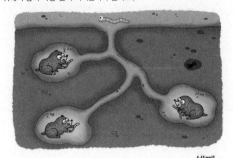

(**셋째**)

✤ 땅 위에서부터 가장 멀리 있는 두더지는 셋째입니다.

4. 비교하기 · 71

정답과 풀이 17쪽

유형 ④ 넓이 비교하기

문제 해결

1 다음은 꽃밭의 넓이를 나타낸 것입니다. 튤립, 장미, 카네이션 중 가장 넓은 곳에 심은 꽃은 무엇인지 알아보세요.

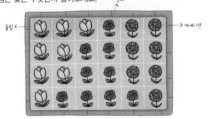

❶ 튤립, 장미, 카네이션은 각각 몇 칸일까요?

튤립: **8** 칸, 장미: **9** 칸, 카네이션: **7** 칸

✤ 각 꽃별로 차지하는 칸 수를 세어 봅니다.

❷ 튤립, 장미, 카네이션 중 가장 넓은 곳에 심은 꽃은 무엇일까요?

(**장미**)

✤ 튤립은 8칸, 장미는 9칸, 카네이션은 7칸입니다. 따라서 가장 넓은 곳에 심은 꽃은 장미입니다.

72 · Jump 1-1

2 ㉮와 ㉯ 중 두 종이의 겹쳐진 부분이 더 넓은 것의 기호를 써 보세요.

(**㉮**)

✤ 겹쳐진 부분은 ㉮가 ㉯보다 더 넓습니다.

3 혜미와 승기는 같은 크기의 색종이를 한 장씩 가지고 있습니다. 점선을 따라 오렸을 때 생기는 가장 작은 부분을 비교하면 누구의 것이 더 좁을까요?

(**승기**)

✤ 점선을 따라 오렸을 때 생기는 가장 작은 조각은 혜미의 것이 ㉠이고, 승기의 것이 ㉡입니다.

따라서 ㉠과 ㉡을 비교하면 ㉡이 더 좁습니다.

4. 비교하기 · 73

유형 ⑤ 무게 비교하기 [추론]

정답과 풀이 18쪽

1 똑같은 고무줄에 가위와 상자를 매달았습니다. 가위보다 더 무거운 상자를 찾으려고 합니다. 물음에 답하세요.

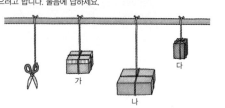

❶ 알맞은 말에 ○표 하세요.

고무줄이 많이 늘어날수록 물건의 무게가 ((무겁습니다), 가볍습니다).

❷ 가위보다 더 무거운 상자를 찾아 기호를 써 보세요.

(**나**)

❖ 가위보다 고무줄이 많이 늘어난 상자를 찾으면 나입니다.

2 용수철 끝에 추가 매달려 있습니다. 무거운 추부터 순서대로 번호를 써넣으세요.

[1] [3] [2]

❖ 용수철은 매달린 추가 무거울수록 더 길게 늘어납니다.

3 그림을 보고 가장 무거운 사람은 누구인지 써 보세요.

준수   동현   순수   연우

(**연우**)

❖ 준수는 동현이보다 더 무겁고, 연우는 준수보다 더 무겁습니다. 따라서 연우가 가장 무겁습니다.

유형 ⑥ 담을 수 있는 양 비교하기 [창의·융합]

정답과 풀이 18쪽

1 다음 세 그릇은 높이와 바닥에 닿는 면의 모양과 크기가 서로 같습니다. 그릇에 담을 수 있는 양을 비교하려고 합니다. 물음에 답하세요.

가   나   다

❶ 그릇 가와 나를 함께 겹쳐 보았습니다. 가와 나 중 어느 그릇에 담을 수 있는 양이 더 많을까요?

(**가**)

❖ 겹쳐 보았을 때 크기가 더 큰 가 그릇에 담을 수 있는 양이 더 많습니다.

❷ 그릇 나와 다를 함께 겹쳐 보았습니다. 나와 다 중 어느 그릇에 담을 수 있는 양이 더 많을까요?

(**나**)

❖ 겹쳐 보았을 때 크기가 더 큰 나 그릇에 담을 수 있는 양이 더 많습니다.

❸ 담을 수 있는 양이 많은 그릇부터 순서대로 기호를 써 보세요.

(**가, 나, 다**)

❖ 가와 나 중 가가 더 많고, 나와 다 중 나가 더 많으므로 가, 나, 다 순으로 많이 담을 수 있습니다.

2 탁자 위에 뒤집은 모양이 같은 컵 2개가 있습니다. 두 컵에 높이가 같게 물을 담았습니다. 물을 더 많이 담은 컵에 ○표 하세요.

( )   (○)

❖ 물이 담기지 않은 부분이 더 작은 컵이 더 많이 들어가 있는 것입니다. 컵 2개를 오른쪽 그림과 같이 겹쳐 보면 오른쪽 컵에 물이 담기지 않은 부분이 더 작으므로 오른쪽 컵에 물이 더 많이 들어가 있습니다.

3 똑같은 컵 3개에 다음과 같이 물이 담겨 있습니다. 컵에 무게가 다른 구슬을 하나씩 넣었더니 물의 높이가 모두 같아졌습니다. 가장 무거운 구슬을 넣은 컵을 찾아 기호를 써 보세요.

가   나   다

(**나**)

❖ 물의 높이가 같아지려면 물의 양이 가장 적은 나 컵에 가장 무거운 구슬을 넣어 물의 높이가 가장 많이 올라가도록 해야 하므로 가장 무거운 구슬을 넣은 컵은 나입니다.

사고력 종합 평가

정답과 풀이 19쪽

1 꼬리가 가장 긴 원숭이를 찾아 ○표 하세요.

( ) (○) ( )

❖ 가운데 원숭이의 꼬리가 가장 깁니다.

2 높이를 비교하는 말에 모두 ○표 하세요.

❖ 높이를 나타내는 말은 '높다'와 '낮다'가 있습니다.

3 진호는 두 번째로 낮은 집에 살고 있습니다. 진호네 집을 찾아 ○표 하세요.

( ) ( ) (○) ( )

❖ 바닥이 맞추어져 있으므로 위쪽으로 조금 올라간 집일수록 낮은 것입니다.

4 길이가 가장 긴 것과 가장 짧은 것을 찾아 기호를 써 보세요.

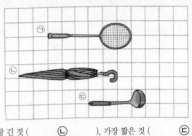

가장 긴 것 (㉡), 가장 짧은 것 (㉢)

❖ ㉠ 6칸 ㉡ 7칸 ㉢ 4칸
가장 긴 것은 길이가 7칸인 ㉡이고, 가장 짧은 것은 길이가 4칸인 ㉢입니다.

5 아람, 진수, 윤아는 체육 시간에 멀리뛰기를 했습니다. 멀리 뛴 순서대로 이름을 써 보세요.

(**진수, 윤아, 아람**)

❖ 오른쪽으로 더 많이 나간 진수, 윤아, 아람이의 순서대로 멀리 뛰었습니다.

사고력 종합 평가

정답과 풀이 19쪽

6 가장 높이 날고 있는 연은 무슨 색깔인지 써 보세요.

(**빨간색**)

❖ 빨간색, 파란색, 노란색 순서로 높이 날고 있습니다.

7 막대에 똑같은 고무줄을 묶어서 다음과 같이 물건을 매달았습니다. 공책보다 더 무거운 물건을 모두 찾아 ○표 하세요.

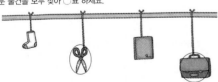

❖ 고무줄이 많이 늘어날수록 무거운 것이므로 공책보다 많이 늘어난 것을 찾으면 가위와 가방입니다.

8 같은 크기의 색종이를 붙여 다음과 같은 모양을 만들었습니다. 넓이가 가장 좁은 것을 찾아 기호를 써 보세요.

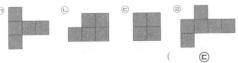

(㉢)

❖ 색종이의 크기가 같으므로 붙인 칸 수를 세어 넓이를 비교해 봅니다.

㉠ 5칸, ㉡ 5칸, ㉢ 4칸, ㉣ 6칸이므로 넓이가 가장 좁은 것은 칸 수가 가장 적은 ㉢입니다.

9 길이가 긴 선부터 순서대로 기호를 써 보세요.

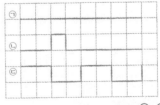

(㉢, ㉡, ㉠)

❖ ㉠ 8칸 ㉡ 10칸 ㉢ 12칸
따라서 길이가 긴 순서대로 쓰면 ㉢, ㉡, ㉠입니다.

10 물을 많이 담을 수 있는 꽃병부터 순서대로 기호를 써 보세요.

(㉠, ㉢, ㉡)

❖ 병의 크기가 가장 큰 것에 물을 가장 많이 담을 수 있습니다.
따라서 물을 가장 많이 담을 수 있는 것은 ㉠이고, 가장 적게 담을 수 있는 것은 ㉡입니다.

11 ☆과 ✹를 각각 같은 모양끼리 빠짐없이 연결하여 가장 큰 모양을 만들었을 때, 어느 쪽이 더 넓은지 ○표 하세요.

(☆ , ✹)

사고력 종합 평가

정답과 풀이 20쪽

12 영주, 가은, 재호가 시소를 타고 있습니다. 세 사람 중에서 가장 무거운 사람은 누구일까요?

(**가은**)

✤ 시소는 무거운 쪽이 내려갑니다.
  영주보다 가은이가 더 무겁고 재호보다 가은이가 더 무거우므로 세 사람 중에서 가장 무거운 사람은 가은입니다.

13 주호, 나은, 경미가 똑같은 주스를 마시고 남은 주스를 각자 다른 컵에 담았습니다. 주스를 가장 많이 마신 사람은 누구일까요?

(**경미**)

✤ 세 사람이 똑같은 주스를 마셨으므로 남은 주스의 양이 적을수록 많이 마신 것입니다.
  따라서 남은 주스의 양이 가장 적은 것은 경미의 것이므로 주스를 가장 많이 마신 사람은 경미입니다.

14 공책과 달력을 겹쳐 보면 달력에 남는 부분이 있고, 달력과 스케치북을 겹쳐 보면 스케치북에 남는 부분이 있습니다. 공책, 달력, 스케치북 중에서 가장 넓은 것은 어느 것일까요?

✤ ➡ 스케치북이 가장 넓습니다. (**스케치북**)

[GO! 매쓰]
여기까지 4단원 내용입니다.
다음부터는 5단원 내용이
시작합니다.

유형 ① 10개씩 묶음의 수와 낱개의 수   문제 해결

정답과 풀이 20쪽

1 같은 수를 나타내는 것끼리 같은 모양으로 표시하려고 합니다. 물음에 답하세요.

❶ 그림이 나타내는 수를 □ 안에 써넣으세요.

❷ 다음이 나타내는 수를 □ 안에 써넣으세요.

❸ 위 그림에 같은 수를 나타내는 것끼리 같은 모양으로 표시해 보세요.

✤ • 구슬 그림과 10개씩 묶음 2개와 낱개 4개는 24를 나타내므로 ○표 합니다.
  • 수 모형과 10개씩 묶음 3개와 낱개 4개는 34를 나타내므로 △표 합니다.

2 를 이용하여 보기의 모양을 몇 개 만들 수 있을까요?

(**4개**)

✤ 보기의 모양을 만들기 위해서는 쌓기나무가 10개 필요합니다. 쌓기나무가 모두 10개씩 묶음 4개이므로 보기의 모양을 4개 만들 수 있습니다.

5 단원

3 카드의 왼쪽에는 1만큼 더 작은 수를, 오른쪽에는 1만큼 더 큰 수를 써넣으세요.

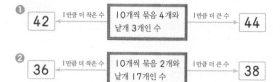

✤ ❶ 10개씩 묶음 4개와 낱개 3개인 수는 43입니다.
  ➡ 42 - 43 - 44
  ❷ 10개씩 묶음 2개와 낱개 17개인 수는 37입니다.
  ➡ 36 - 37 - 38

유형 ❷ 수의 순서와 배열   정보 처리

1 1부터 49까지의 수가 규칙에 따라 다음과 같이 순서대로 놓여 있습니다. 물음에 답하세요.

❶ 위의 그림에 규칙에 따라 수를 순서대로 선으로 이어 보세요.

❷ 위의 그림에 규칙에 따라 빈칸에 알맞은 수를 써넣으세요.
✿ 수의 순서를 생각하여 1부터 49까지 씁니다.

2 지우와 준수의 사물함이 잠겨 있습니다. 지우와 준수의 사물함을 찾아 열쇠 붙임 딱지를 붙여 보세요.

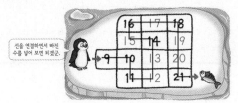

✿ 16부터 39까지 수를 차례로 써 봅니다.
지우의 사물함 번호는 34번이므로 33번 바로 뒤의 사물함에 열쇠 붙임딱지를 붙입니다.
준수의 사물함 번호는 23번이므로 22번 바로 뒤의 사물함에 열쇠 붙임딱지를 붙입니다.

3 펭귄이 모든 칸을 한 번씩 지나 생선을 먹으러 갈 수 있도록 수를 순서대로 연결해 보세요.

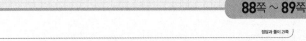

유형 ❸ 둘씩 짝을 지을 수 있는 수와 없는 수   창의·융합

1 도넛과 초콜릿을 둘씩 짝을 지을 수 있는지 없는지 알아보려고 합니다. 다음을 보고 물음에 답하세요.

❶ 빈 곳에 도넛과 초콜릿의 수를 써넣고, 둘씩 묶어 보세요.

 8

 11

❷ 위 ❶을 보고 알맞게 이어 보세요.

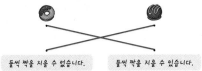

둘씩 짝을 지을 수 없습니다.   둘씩 짝을 지을 수 있습니다.

✿ 도넛은 둘씩 짝을 지을 수 있지만 초콜릿은 하나가 남아서 둘씩 짝을 지을 수 없습니다.

2 꽃잎의 수를 빈 곳에 써넣고, 꽃잎을 둘씩 짝을 지을 수 있으면 ○표, 짝을 지을 수 없으면 ×표 하세요.

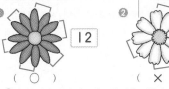

❶ 12 (○)   ❷ 9 (×)

✿ ❷는 한 장이 남기 때문에 둘씩 짝을 지을 수 없습니다.

3 주어진 수를 둘씩 짝을 지을 수 있는 수와 짝을 지을 수 없는 수로 나누어 빈 곳에 써넣으세요.

| 2 | 5 | 8 | 10 | 13 | 16 | 19 |

둘씩 짝을 지을 수 있는 수	둘씩 짝을 지을 수 없는 수
2, 8, 10, 16	5, 13, 19

✿ 2, 4, 6, 8, 10, 12, 14, 16……
➡ 둘씩 짝을 지을 수 있습니다.
1, 3, 5, 7, 9, 11, 13, 15, 17, 19……
➡ 둘씩 짝을 지을 수 없습니다.

유형 ④ 조건에 맞는 수 찾기 <추론>

1 다음 수 카드 중에서 〈조건〉에 모두 알맞은 카드를 찾으려고 합니다. 물음에 답하세요.

27 38 32 33

〈조건〉
· 30보다 크고 40보다 작은 수입니다.
· 낱개의 수가 10개씩 묶음의 수보다 큽니다.

❶ 30보다 크고 40보다 작은 수를 모두 찾아 써 보세요.

(38, 32, 33)

✤ 30보다 크고 40보다 작은 수는 10개씩 묶음의 수가 3인 수입니다.

❷ 위 ❶에서 찾은 수 중에서 낱개의 수가 10개씩 묶음의 수보다 큰 수를 써 보세요.

(38)

✤ 10개씩 묶음의 수가 3이므로 38, 32, 33 중 낱개의 수가 3보다 큰 수는 38입니다.

✤ ❶ 8보다 크고 12보다 작은 수는 9, 10, 11입니다.
이 중에서 10개씩 묶음의 수와 낱개의 수가 같은 수는 11입니다.

<정답과 풀이 22쪽>

2 요정이 말하는 수와 같은 수만큼 주머니에 금화가 들어 있습니다. 주머니에 들어 있는 금화의 수를 빈 곳에 써넣으세요.

❶  8보다 크고 12보다 작은 수 중 10개씩 묶음의 수와 낱개의 수가 같은 수  → [11] 개

❷  10개씩 묶음 2개와 낱개 6개인 수보다 1만큼 더 작은 수  → [25] 개

❷ 10개씩 묶음 2개와 낱개 6개인 수는 26입니다.
26보다 1만큼 더 작은 수는 25입니다.

3 문에 알맞은 열쇠를 각각 찾아 이어 보세요.

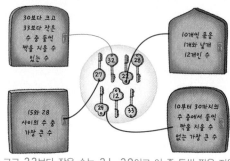

✤ · 30보다 크고 33보다 작은 수는 31, 32이고 이 중 둘씩 짝을 지을 수 있는 수는 32입니다.
· 15와 28 사이의 수는 16, 17, 18……25, 26, 27이고 이 중 가장 큰 수는 27입니다.
· 10개씩 묶음 1개와 낱개 12개인 수는 10개씩 묶음 2개와 낱개 2개인 수와 같으므로 22입니다.
· 10부터 30까지의 수 중에서 둘씩 짝을 지을 수 없는 수는 11, 13, 15……27, 29이고 이 중 가장 큰 수는 29입니다.

유형 ⑤ 수 만들기 <문제 해결>

1 수 카드 2, 4, 1 중 2장을 골라 한 번씩만 사용하여 몇십몇을 만들려고 합니다. 만들 수 있는 수 중에서 가장 큰 수와 가장 작은 수를 각각 구하려고 할 때, 물음에 답하세요.

❶ 수 카드의 수를 큰 수부터 순서대로 써 보세요.

(4, 2, 1)

❷ 만들 수 있는 수 중에서 가장 큰 몇십몇을 써 보세요.

(42)

✤ 4, 2, 1 중 10개씩 묶음의 수를 가장 큰 수인 4로 하고, 낱개의 수를 두 번째로 큰 수인 2로 합니다. ➜ 42

❸ 만들 수 있는 수 중에서 가장 작은 몇십몇을 써 보세요.

(12)

✤ 4, 2, 1 중 10개씩 묶음의 수를 가장 작은 수인 1로 하고, 낱개의 수를 두 번째로 작은 수인 2로 합니다. ➜ 12

---

2 지선이는 10개씩 묶음의 수를 나타내는 빨간색 공과 낱개의 수를 나타내는 파란색 공을 1개씩 뽑아서 수를 만들려고 합니다. 만들 수 있는 수 중에서 가장 큰 수를 구해 보세요.

(49)

✤ 빨간색 공의 수 중에서 가장 큰 수를 10개씩 묶음의 수로 하고, 파란색 공의 수 중에서 가장 큰 수를 낱개의 수로 합니다.

3 상자 안에 들어 있는 공 중에서 2개를 꺼내 공에 적힌 수를 한 번씩만 사용하여 몇십몇을 만들려고 합니다. 만들 수 있는 수 중에서 33보다 큰 수는 모두 몇 개인지 표를 완성하여 구해 보세요.

10개씩 묶음의 수	2	2	3	3	4	4
낱개의 수	3	4	2	4	2	3

(3개)

✤ 만들 수 있는 수는 23, 24, 32, 34, 42, 43입니다.
이 중에서 33보다 큰 수는 34, 42, 43이므로 모두 3개입니다.

유형 6 명령어에 따라 달리기 〔코딩〕

정답과 풀이 23쪽

1 사자와 치타가 명령어에 따라 달리기를 했습니다. 사자와 치타가 도착한 칸이 나타내는 수의 크기를 비교하려고 합니다. 물음에 답하세요.

① 치타의 명령어를 보고 위의 그림에 치타가 도착한 곳을 표시해 보세요.

② 사자와 치타는 각각 어느 수가 적힌 칸에 도착했을까요?

사자 (17), 치타 (16)

③ 사자와 치타 중에서 어떤 동물이 도착한 칸의 수가 더 클까요?

❖ 17과 16 중에서 17이 큰 수이므로 (사자)
사자가 도착한 칸의 수가 더 큽니다.

2 동물들이 달리기 시합을 하고 있습니다. 블록 명령어에 따라 도착한 칸에 동물 붙임딱지를 붙여 보세요.

준비물: 붙임딱지

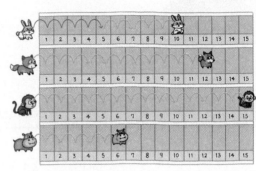

❖ 토끼는 10에, 여우는 12에, 원숭이는 15에, 하마는 6에 도착합니다.

5 단원

사고력 종합 평가

정답과 풀이 23쪽

1 딸기의 수를 세어 쓰고, 두 가지 방법으로 읽어 보세요.

쓰기 (37)
읽기 (삼십칠 , 서른일곱)

❖ 딸기를 세어 보면 10개씩 묶음 3개와 낱개 7개이므로 37개입니다. 따라서 수로 쓰면 37이고, 37은 삼십칠 또는 서른일곱으로 읽습니다.

2 나타내는 수가 같은 것끼리 이어 보세요.

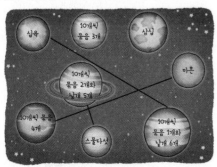

❖ · 십육 ➡ 16 ➡ 10개씩 묶음 1개와 낱개 6개
· 10개씩 묶음 3개 ➡ 30 ➡ 삼십
· 10개씩 묶음 2개와 낱개 5개 ➡ 25 ➡ 스물다섯
· 10개씩 묶음 4개 ➡ 40 ➡ 마흔

3 빈칸에 알맞은 수를 써넣으세요.

21	22	23	24	25	26	27	28	29	30
31	32	33	34	35	36	37	38	39	40
41	42	43	44	45	46	47	48	49	50

❖ 21부터 50까지의 수가 순서대로 놓여 있게 씁니다.

4 다음을 보고 알맞게 읽은 것에 ○표 하고, □ 안에 알맞은 수를 써넣으세요.

과수원에서 복숭아를 15(열다섯), 십오)개 땄다.
한 상자에 10개씩 넣으니 1 상자가 되고 5 개가 남았다.
15(열다섯 , 십오)일 후에 방학하면 또 와야지.

❖ 15개는 십오 개라고 하지 않고 열다섯 개라고 합니다.
15일은 열다섯 일이라고 하지 않고 십오 일이라고 합니다.
15는 10개씩 묶음 1개와 낱개 5개이므로 1상자가 되고 5개가 남습니다.

5 단원

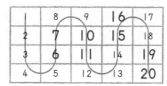

사고력 종합 평가

정답과 풀이 24쪽

5 규칙에 따라 수를 놓으려고 합니다. 빈칸에 알맞은 수를 써넣으세요.

1	8	9	16	17
2	7	10	15	18
3	6	11	14	19
4	5	12	13	20

❖ 표시된 선을 따라서 1부터 20까지 수가 순서대로 놓여 있게 빈칸을 채웁니다.

6 다음 꽃의 꽃잎이 바람에 3장 떨어지고 나면 남아 있는 꽃잎은 둘씩 짝을 지을 수 있는지 없는지 알맞은 말에 ○표 하세요.

1장이 남습니다.

→ 3장이 떨어집니다.

→ 짝을 지을 수 (있습니다 , (없습니다)).

❖ 꽃잎 8장에서 3장 떨어지고 나면 남은 꽃잎은 5장입니다. 5를 둘씩 짝을 지으면 1장이 남으므로 둘씩 짝을 지을 수 없습니다.

7 3장의 수 카드 중에서 2장을 뽑아 한 번씩만 사용하여 몇십몇을 만들려고 합니다. 만들 수 있는 수 중에서 가장 큰 수와 가장 작은 수를 각각 구해 보세요.

| 4 | 2 | 3 |

가장 큰 수 (**43**)

가장 작은 수 (**23**)

❖ 수 카드를 큰 수부터 쓰면 4, 3, 2입니다.

- 가장 큰 수: 10개씩 묶음 4개와 낱개 3개 ➔ 43
- 가장 작은 수: 10개씩 묶음 2개와 낱개 3개 ➔ 23

98 · Jump 1-1

8 둘씩 짝을 지을 수 있는 수에 ○표를, 둘씩 짝을 지을 수 없는 수에 △표를 하세요.

△① ② △③ ④ △⑤ ⑥ △⑦ ⑧ △⑨ ⑩
△⑪ ⑫ △⑬ ⑭ △⑮ ⑯ △⑰ ⑱ △⑲ ⑳

❖ 둘씩 짝을 지을 수 있는 수: 2, 4, 6, 8, 10, 12, 14, 16, 18, 20
  둘씩 짝을 지을 수 없는 수: 1, 3, 5, 7, 9, 11, 13, 15, 17, 19

9 조건 을 만족하는 수는 모두 몇 개일까요?

조건
- 10개씩 묶음 2개와 낱개 15개인 수보다 작은 수입니다.
- 30보다 큰 수입니다.

(**4개**)

❖ 10개씩 묶음 2개와 낱개 15개인 수는 10개씩 묶음 3개와 낱개 5개인 수와 같으므로 35입니다.
  따라서 30보다 크고 35보다 작은 수는 31, 32, 33, 34로 모두 4개입니다.

10 영진이네 반과 은지네 반 중 누구네 반 학생이 더 많은지 구해 보세요.

 우리 반은 20명보다 6명 더 많아.

 우리 반은 30명보다 5명 더 적어.

(**영진**)

❖ 영진: 20보다 6만큼 더 큰 수는 10개씩 묶음 2개와 낱개 6개이므로 26입니다.
  은지: 30에서 작은 순서대로 써 보면 30보다 5만큼 더 작은 수는 30-29-28-27-26-25에서 25입니다.
  따라서 영진이네 반 학생이 더 많습니다.

5. 50까지의 수 · 99

5단원

100쪽

사고력 종합 평가

정답과 풀이 24쪽

11 정아와 연수는 풍선 터트리기를 하였습니다. ⬤을 터트리면 10점, ⬤을 터트리면 1점을 얻습니다. 빈 곳에 알맞은 수를 써넣고, 누구의 점수가 더 높은지 구해 보세요.

정아 [21]점   연수 [12]점

(**정아**)

❖ 21은 12보다 크므로 정아의 점수가 연수보다 높습니다.

12 소현이가 버스를 타고 할아버지 댁에 갔습니다. 소현이의 자리 번호는 조건 을 모두 만족하는 수입니다. 소현이의 자리에 ○표 하세요.

조건
- 10개씩 묶음이 2개인 수입니다.
- 24보다 작은 수입니다.
- 10개씩 묶음의 수가 낱개의 수보다 작은 수입니다.

❖ • 10개씩 묶음이 2개인 수: 20, 21, 22, 23, 24, 25, 26, 27, 28, 29
  • 20부터 29까지의 수 중에서 24보다 작은 수: 20, 21, 22, 23
  • 20, 21, 22, 23 중에서 10개씩 묶음의 수가 낱개의 수보다 작은 수: 23

100 · Jump 1-1

[GO! 매쓰] 수고하셨습니다.

누구나
쉽고 재미있게
시작하는

노크

시리즈

사고력 수학 노크(총 40권)

PA단계(8권)
7~8세 권장

A단계(8권)
8~9세 권장

B단계(8권)
9~10세 권장

C단계(8권)
10~11세 권장

D단계(8권)
11~12세 권장

영역별 구성

창의력과 **사고력**이
쑥쑥 자라는 수학 전문서

 실생활 소재로 수학의 흥미와 관심 UP!

 다양한 유형의 창의력 문제 수록

 융합적 사고력을 높여주는 구성

 초등 수학과 연계

수학 **1**-1

정답과 풀이

Jump

유형 사고력

Run

교과서 사고력

Start

교과서 개념